FRANCISCO ALBERTIN

EXPLICANDO O EVANGELHO DE JOÃO

e as Cartas de João, Hebreus, Tiago, Pedro e Judas

DIRETOR EDITORIAL: Pe. Marcelo C. Araújo, C.Ss.R.
COORDENAÇÃO EDITORIAL: Ana Lúcia de Castro Leite
REVISÃO: Cristina Nunes
Lessandra Muniz de Carvalho
DIAGRAMAÇÃO E CAPA: Mauricio Pereira

Dados Internacionais de Catalogação na Publicação (CIP)
(Câmara Brasileira do Livro, SP, Brasil)

Albertin, Francisco
Explicando o Evangelho de João e as cartas – João, Hebreus, Tiago, Pedro e Judas / Francisco Albertin – Aparecida, SP: Editora Santuário, 2012.

ISBN 978-85-369-0277-7

1. Bíblia. N.T. João – Comentários I. Título.

12-10615 CDD 226.507

Índices para catálogo sistemático:
1. Evangelho de João: Comentários 226.507
2. João: Evangelho: Comentários 226.507

4ª impressão

Rua Pe. Claro Monteiro, 342 – 12570-000 – Aparecida-SP
Tel.: 12 3104-2000 – Televendas: 0800 - 16 00 04
www.editorasantuario.com.br
vendas@editorasantuario.com.br

A todos aqueles e aquelas que lavam
os pés uns dos outros e pelo amor revelam
os segredos de uma fé viva.

EVANGELHO DE JOÃO

Introdução

O Evangelho escrito por João tem muitas diferenças e algumas semelhanças com os evangelhos de Marcos, Mateus e Lucas. Enquanto estes narram vários milagres e curas realizadas por Jesus, João fala apenas de sinais, pois "o sinal aponta para algo que vai além do que se vê".[1] Ao ler e meditar sobre esse evangelho, devemos estar sempre atentos, pois nem tudo é só aquilo que parece ser, em um primeiro momento, vai sempre além do que se possa imaginar. Logo no início dos sinais, quando a água é transformada em vinho, Jesus diz: "Minha hora ainda não chegou" (Jo 2,4)[2], mas não a hora, no sentido cronológico, e sim a hora de se entregar livremente e doar sua vida por amor a nós na cruz. Enquanto os outros evangelistas narram a instituição da eucaristia na última ceia, João narra apenas uma ceia duran-

[1] CONFERÊNCIA NACIONAL DOS BISPOS DO BRASIL. Uma Igreja que acredita, acolhe e envia. Projeto nacional de evangelização. *Queremos ver Jesus caminho, verdade e vida.* São Paulo: Paulus e Paulinas, 2007, p. 30.

[2] Quando a citação for do Evangelho de João, não vamos colocar a indicação "Jo", por entender que é o evangelho que estamos escrevendo. De agora em diante, vamos colocar apenas o capítulo e o(s) versículo(s).

te a qual surpreendentemente Jesus tira o manto, pega uma toalha, derrama água em uma bacia e começa a lavar os pés dos discípulos e pede: "Se eu, o Senhor e Mestre, vos lavei os pés, também vós deveis lavar os pés uns aos outros" (13,13). Eucaristia não é só um rito, mas é o verdadeiro amor e serviço demonstrados na comunidade.

João não fala em Igreja ou Templo como lugar privilegiado da presença de Deus, mas essa presença constante acontece na comunidade que deve permanecer unida a Jesus, tal como os ramos à videira (15,1-6). O evangelho está cheio de palavras contrárias ou antônimas: luz e trevas, verdade e mentira, morte e vida, amar e odiar etc., as quais vamos explicá-las melhor no *Saiba mais...*, bem como expressões fortes: "Eu sou o caminho, a verdade e a vida" (14,6); "Eu sou o pão vivo que desceu do céu" (6,51); "Eu sou a luz do mundo" (8,12); "Eu sou o bom pastor" (10,11); "Eu sou a ressurreição e a vida. Quem acredita em mim, mesmo que morra, viverá" (11,25) etc. Utiliza também a palavra "mundo" com significados diferentes. Estudando bem seus escritos, poderemos entender melhor os segredos e os mistérios desse belíssimo evangelista do amor.

A comunidade joanina procurou vivenciar os ideais deixados por Jesus e por isso se tornou inclusiva: samaritanos, considerados "impuros", e gregos, que eram considerados pagãos ou gentios, bem como judeus, dispostos a entender que Jesus era o verdadeiro Messias enviado por Deus, e todos tinham vez e voz, desde que vivenciassem os ensinamentos de Jesus. Todavia, mostra diversos conflitos com os representantes dos judeus, com alguns seguidores de João Batista que julgavam ser ele maior que Jesus, e o conflito maior com os detentores do poder deste "mundo".

No Evangelho de São João e só nele encontramos o misterioso "discípulo amado". Seria ele o próprio João? Seria a comunidade? Ou todos os discípulos e discípulas de todos os tempos que amam e seguem Jesus? Por que esse discípulo sempre está contradizendo Pedro e o ensinando quem de fato é Jesus? Será que a comunidade joanina estava em conflito com a grande Igreja, sob a figura de Pedro? Por que as mulheres têm tanto destaque nesse evangelho, a ponto de Maria, aos pés da cruz, tornar-se nossa "mãe", e Maria Madalena ser a discípula, por excelência, a testemunhar a ressurreição de Jesus? Estas e outras perguntas serão esclarecidas ao longo deste livro.

Que a força do Espírito Santo nos ilumine para penetrarmos um pouco mais nesse tesouro insondável, que chamamos Evangelho de São João, bem como em suas três cartas, além da riqueza dos ensinamentos de Hebreus, da Carta de Tiago, das duas Cartas de Pedro e da Carta de Judas.

Mas quem escreveu o Evangelho de João e foi seu autor? Antigamente, pensava-se que era o discípulo João, irmão de Tiago e filho de Zebedeu (Mc 1,19-20). Hoje, não se pensa mais assim, pois, para escrever esse evangelho, fica evidente que muitas pessoas ajudaram, tem toda uma comunidade por trás. Além de tudo, indica que foi escrito em várias etapas e lugares. Há hipótese de ter surgido na Palestina, em Caná da Galileia, ou até mesmo na região de Antioquia, com a destruição de Jerusalém, por volta do ano 70, quando tivemos a guerra dos Romanos contra os judeus (66-73). Os cristãos foram expulsos das sinagogas por volta do ano 85, quando os fariseus e escribas, sob a liderança do Rabi Iohanan bem-Zakai, foram para Jâmnia e deram início ao judaísmo formativo.[3] A redação final foi bem mais tarde, por volta do ano 95, e há consenso entre boa parte dos biblistas de que foi escrita em Éfeso, por uma pessoa ou várias pessoas da comunidade joanina. Contudo, para fins de estudo, neste livro, vamos chamá-lo de Evangelho de João ou São João.

Finalizando, podemos dizer que, ao ler o Evangelho de São João, devemos estar sempre atentos a seus "sinais" e ter a luz do Espírito Santo para discernir a importância da nova criação, da nova páscoa, da nova e eterna aliança e "ler os textos não como meros relatos de fatos acontecidos, mas como evangelho – fruto de vivência, reflexão e oração em comunidades, daquilo que Jesus viveu, falou, foi"[4]. Você está convidado(a) a meditar, refletir e partilhar com os outros as maravilhas desse evangelho. Dentre os muitos sinais, não podemos esquecer o principal: "Eu vos dou um mandamento novo: Amai-vos uns aos outros, como eu vos amei: amai-vos assim uns aos outros. Nisso conhecerão todos que sois meus discípulos, se tiverdes amor uns pelos outros" (Jo 13,34-35).

---

[3] Se você quiser aprofundar o contexto político, social, religioso e ideológico da época em que foi escrito este Evangelho, leia meu livro: ALBERTIN, Francisco. *Explicando o Novo Testamento*. Os Evangelhos de Marcos, Mateus, Lucas e Atos dos Apóstolos. 6. ed. Aparecida: Santuário, 2011. p. 10-11; 96-100.

[4] CONFERÊNCIA NACIONAL DOS BISPOS DO BRASIL. Loco citato, p. 11.

Autor, data e divisão do Evangelho de João

Em relação à divisão desse evangelho, temos vários autores que divergem entre si, uns colocam na linha temporal (primeira semana, segunda semana), outros seguem estruturas diferentes. Todavia, muitos concordam com a seguinte divisão:

Prólogo ou hino introdutório: 1,1-18.
Primeira parte 1,19–12,50: o livro dos "sinais".
Segunda parte 13,1–20,31: chamado de livro da "hora" ou "glória" de Jesus.
Epílogo ou capítulo final: 21,1-25.

Como muitas coisas acontecem no Evangelho de João no "sexto dia", por ser o dia, por excelência, da criação, e, sendo Jesus o responsável pela nova criação, queremos dividir esse evangelho em seis partes, dando abertura a uma sétima parte, ou não, pois o número "sete" significa perfeição, plenitude, totalidade. Esta parte vai depender do leitor para que aconteça, ou não, o que será reservado para o final deste livro. Na verdade, teremos uma subdivisão tanto da primeira como da segunda parte acima. A novidade consiste no modo pelo qual vamos fazer nossa divisão, utilizando outros critérios a partir dos escritos de João, que consideramos fazer unidade, e por estarem interligados entre si, formando quatro partes, mais o prólogo e epílogo. Assim, temos em nossa divisão:

1. Prólogo ou hino introdutório: 1,1-18.

Primeira parte

2. Jesus é a água viva e o pão vivo que sacia a humanidade: 1,19–6,71.

3. Jesus é a luz, o bom pastor que dá a vida e a ressurreição: 7,1–12,50.

Segunda parte

4. Amai-vos uns aos outros assim como eu vos amei: 13,1–17,26.

5. Tudo está consumado: 18,1–20,31.

6. Epílogo ou capítulo final: 21,1-25.

7. O discípulo amado e a discípula amada.

* * *

Foi publicada, pela Editora Santuário, a série intitulada "Explicando a Bíblia", que contém os seguintes livros:

1. ***Explicando o Antigo Testamento.*** A obra comenta a maneira como Deus caminha com seu povo; descreve, de um modo geral, cada um dos 46 livros do Antigo Testamento, as mais belas histórias, profecias, leis e costumes. Livro essencial para introduzir e entender bem o Novo Testamento.

2. ***Explicando o Novo Testamento: os evangelhos de Marcos, Mateus, Lucas e Atos dos Apóstolos.*** Essa obra comenta os diversos ensinamentos de Jesus, suas parábolas, milagres, sua bondade acima de tudo, o amor de Deus, que enviou seu Filho Jesus para nos salvar, e isso foi narrado por Marcos, Mateus e Lucas, que também escreveu os Atos dos Apóstolos e descreveu a caminhada das primeiras comunidades cristãs.

3. ***Explicando as Cartas de São Paulo.*** A obra descreve a vida de Paulo, sua conversão, suas viagens com os mapas, todas as suas cartas e seus principais temas e ensinamentos. Ninguém melhor que Paulo soube entender, com o coração e com a própria vida, os ensinamentos de Jesus. Sua linda e emocionante história mistura-se com a vida de fé das primeiras comunidades e nos inspira a ser discípulos(as) missionários(as) de Jesus Cristo.

4. ***Explicando o Evangelho de João e as Cartas de: João, Hebreus, Tiago, Pedro e Judas.*** A obra explica, em detalhes, os ensinamentos de Jesus e seus sinais no Evangelho escrito por João, a nova criação, a nova páscoa, a nova e eterna aliança, o misterioso discípulo amado, a força e o papel essencial das mulheres e discípulas amadas por Jesus e testemunhas de sua ressurreição, bem como o segredo maior do novo mandamento: "amai-vos uns aos outros assim como eu vos amei". E ainda há a riqueza e os ensinamentos das Cartas de João, Hebreus, Tiago, Pedro e Judas.

5. ***Explicando o Apocalipse.*** É uma obra fascinante que revela a importância da fé, da esperança, da profecia, da luta e da vitória. Na batalha entre o Dragão, que simboliza toda a força do mal, contra o Cordeiro, que é Jesus, fica evidente que o bem sempre vence o mal. Mas, para entender o Apocalipse, faz-se necessário tirar o véu que envolve suas visões. O autor explica, de maneira simples e teológica, o significado dessas visões, sonhos, símbolos, figuras estranhas e enigmas, e revela o projeto de Deus na vida e na história da humanidade. O leitor vai entender o Apocalipse com seus ideais e sonhos, e perceberá que seguindo o caminho de Jesus, ainda hoje, é possível construir um Novo Céu e uma Nova Terra.

* * *

1. Prólogo ou hino introdutório

O Evangelho de João inicia-se com um belíssimo hino (1,1-18) que revela coisas misteriosas e, ao mesmo tempo, traz um pequeno resumo dos principais temas abordados ao longo dele. João é bem diferente de todos os outros evangelistas e ainda ousa colocar, como personagem principal do hino, o *logos*, pois o Evangelho foi escrito em grego e esse misterioso *logos*, para o mundo grego e na filosofia, tinha vários sentidos, dentre eles o de princípio ordenador, a razão do universo. Não vamos entrar aqui em questões filosóficas, pois estamos interessados em procurar entender ou interpretar a visão de João de acordo com nosso ponto de vista, que quer ser apenas e unicamente mais uma pequena contribuição entre as milhares já existentes, pois esse evangelho possui em si uma riqueza insondável e "podemos ler João a vida inteira: sempre descobriremos aspectos novos".[5]

1.1. Hino: E a palavra se fez homem e habitou entre nós...

Caríssimo leitor, para você poder tirar bons frutos da leitura deste livro, seria bom que tivesse ao lado uma Bíblia. João começa seus escritos assim: "No princípio já existia a Palavra e a Palavra se dirigia a Deus e a Palavra era Deus" (1,1).

Talvez em sua Bíblia algumas palavras estejam um pouco diferentes, mas não se preocupe, pois o sentido é o mesmo.

[5] Ibidem, p. 9.

Utilizamos, neste momento, a tradução da Bíblia do Peregrino. Porém, se você tiver a Bíblia Edição Pastoral, estará assim: "No começo a Palavra já existia: a Palavra estava voltada para Deus, e a Palavra era Deus". Se tomar a Bíblia de Jerusalém: "No princípio era o Verbo e o Verbo estava com Deus e o Verbo era Deus". Daí você pode perguntar: por que há diferença entre as Bíblias? Pois bem, cada tradutor ou grupo de tradutores se serve de um "original" e faz opção por traduzir esta ou aquela palavra que, em sua maneira de entender, seja fiel e que corresponde melhor ao que o texto diz. As Bíblias do Peregrino e Jerusalém iniciam dizendo "no princípio", e a Edição Pastoral, "no começo", sendo parecidas e com significados semelhantes. Talvez você tenha estranhado um pouco a troca de *Palavra* por *Verbo* de acordo com a Bíblia de Jerusalém. Não se preocupe, pois também é quase a mesma coisa. Para esclarecer um pouco mais, vamos ver o que Johan Konings, um estudioso de João, fala sobre esse assunto:

> Traduzimos o termo grego *logos* por "Palavra", de preferência a "Verbo", utilizado em outras traduções. "Verbo" lembra as especulações filosóficas gregas sobre o Verbo divino, mas o pano de fundo do pensamento joanino não é a filosofia grega do Logos [...].[6]

Voltando ao texto, podemos ver que se inicia: "No princípio já existia a Palavra". Esse termo – no princípio – lembra o livro de Gênesis e tem tudo a ver com o que chamamos de a

[6] KONINGS, Johan. *Evangelho segundo João*: amor e fidelidade. São Paulo: Loyola, 2005. p. 76.

criação do mundo. "No princípio, criou Deus o céu e a terra" (Gn 1,1). João quer mostrar que em Jesus Cristo inicia-se a nova criação e, mais do que isso, "no princípio", antes mesmo da primeira criação, já existia a Palavra (Jesus), que já estava junto com Deus: "e a Palavra se dirigia a Deus e a Palavra era Deus. Esta, no princípio, dirigia-se a Deus. Tudo existiu por meio dela, e sem ela nada existiu de tudo o que existe" (1,1-3).

Na criação, Deus vai dizer ou ordenar com sua Palavra: "Exista a luz. E a luz existiu" (Gn 1,3), e assim sucessivamente com toda a criação. Basta a Palavra de Deus que comunica vida para tudo passar a existir. "Nela havia vida, e a vida era a luz dos homens. A luz brilhou nas trevas, e as trevas não a compreenderam" (1,4-5). Se você pular para o versículo 9 e 10, vai ver que dá sequência perfeita: "A luz verdadeira que ilumina todo homem estava vindo ao mundo. Estava no mundo, o mundo existiu por ela, e o mundo não a reconheceu" (1,9-10). Mas por que então nos versículos 5, 6, 7 e também no 15 vai se falar de João (Batista) e quebrar a estrutura do hino? Pois se você tomar o versículo 14 e pular para o 16, verá que a sequência também é perfeita. Ao que tudo indica, o redator final do Evangelho de João tinha, em sua comunidade, alguns problemas e, dentre eles, o de alguns pensarem que João Batista era o enviado e o mensageiro de Deus, pois havia batizado Jesus. Em outros termos: pensavam que João Batista era maior que Jesus. Daí o autor deixar claro, já no hino de abertura, que João (Batista) não era a luz, mas veio para dar testemunho da luz que é Jesus, e no versículo 15: "João grita dando testemunho dele: este é aquele do qual eu dizia: Aquele que vem depois de mim existia antes de mim, porque está antes de mim".

Em relação a Jesus ser a luz que ilumina as trevas e que veio para os que eram seus, e uns o acolhem e outros não, bem como o modo pelo qual se tornam "filhos de Deus", explicaremos ao longo deste livro.

"A Palavra se fez homem e habitou entre nós. E nós contemplamos a sua glória: glória do Filho único do Pai, cheio de amor e fidelidade" (1,14). Aqui seguimos a tradução da Bíblia Edição Pastoral, pois a do Peregrino diz: "A Palavra se fez homem e acampou entre nós". O termo "acampou" tem o sentido de armar uma "tenda" (Êx 40,34-35; Ez 44,4 etc.) e morar no meio de nós. Isso poderia causar dificuldade aos leitores. Todavia, algumas outras bíblias, como a Jerusalém e Teb, utilizam a expressão: "E o verbo se fez carne". Já que estamos estudando João, qual a diferença entre dizer que a Palavra (ou verbo, pois já explicamos anteriormente a diferença) se fez homem ou se fez carne? "A palavra *carne* designa em Jo a totalidade do homem afetada pela fraqueza que vai dar na morte. O texto supõe talvez uma reação contra as doutrinas docetas que reduziam a Encarnação a uma aparência (1Jo 4,2)"[7].

Aqui se encontra um outro problema enfrentado pela comunidade joanina. Neste livro, preferimos colocar o contexto social e problemas ao longo da exposição e não em um capítulo a parte, pois possivelmente você entenderá melhor esse evangelho e al-

[7] BÍBLIA. Português. TRADUÇÃO ECUMÊNICA (TEB). São Paulo: Loyola, 1994, p. 2.044-2.045 (nota de rodapé "r").

gumas expressões no momento em que o texto mostrá-las.

Na época em que foi escrito o Evangelho de João, por volta do ano 95, algumas pessoas seguiam *a doutrina dos docetas ou docetismo*. Estes inventaram, no "Evangelho de João, um Logos celeste, revelador de verdades superiores, um Jesus 'doceta' (do grego *dokein*, 'parecer'; Jesus seria um enviado celestial sem ser verdadeiramente humano, mortal, mas apenas parecendo 'carne'). Diziam que o Logos deixara Jesus antes da morte na cruz [...]"[8]. Imagine a confusão que essa doutrina causava na cabeça das pessoas. Daí o autor insistir tanto em mostrar que a Palavra (logos), que é Jesus, se fez homem (carne) e habitou entre nós, e que Jesus morreu sim em uma cruz, que foi humano, como todos nós, exceto no pecado. O mais importante é saber que Jesus, sendo Deus, um ser divino, se fez homem, veio morar entre nós e anunciar qual era a vontade de Deus para a humanidade. Em relação à glória, ao amor e à fidelidade, vamos explicar no momento oportuno.

Finalizando o hino de abertura ou prólogo, temos: "Porque a Lei foi dada por Moisés, mas o amor e a fidelidade vieram através de Jesus Cristo. Ninguém jamais viu a Deus; quem nos revelou Deus foi o Filho único, que está junto ao Pai" (1,17-18). Você observou que somente agora, no versículo 17, o autor finalmente vai revelar o segredo escondido de quem é o verdadeiro *logos* ou Palavra? É Jesus Cristo, o Filho único, quem vai nos revelar em plenitude quem é Deus.

---

[8] Konings, Johan. Loco citato, p. 62.

2. Jesus é a água viva e o pão vivo que saciam a humanidade

> "Se conhecesses o dom de Deus e quem é que te pede de beber, tu pedirias a ele, e ele te daria água viva" (4,10).
>
> "Eu sou o pão vivo que desceu do céu. [...] Quem come a minha carne e bebe o meu sangue tem a vida eterna, e eu o ressuscitarei no último dia" (6,51.54).

Cada ser humano tem fome e sede e isso faz parte da essência biológica da humanidade. Somente Jesus pode nos dar a água viva para que possamos não ter mais sede, e o pão vivo para que possamos não ter mais fome. Antes de entrar nos sinais realizados por Jesus, vamos estudar dois temas importantes que antecedem a eles.

2.1. Eis o Cordeiro de Deus, que tira o pecado do mundo

Depois do hino de abertura, temos o testemunho de João Batista que, com relação a Jesus, incentiva seus discípulos a seguir verdadeiramente o Filho de Deus. Nosso objetivo é dar uma visão geral do Evangelho de João e despertar, nas pessoas, o desejo de conhecer ainda mais a riqueza desse escrito. Não vamos aprofundar muito, pois outros autores já o fizeram. Queremos dar uma visão introdutória e uma explicação geral dos livros da Bíblia, mas se você quiser estudar mais sobre esse evangelho, indicamos algumas obras.[9] Mais do que ler e saber, o importante é seguir Jesus e viver o ideal do amor em comunidade que João tanto insiste.

Diante das autoridades que vão fazer todo um inquérito sobre João Batista (1,19-28) para saber quem ele é de fato e para ter o "controle" sobre suas ações, o que tem de ficar claro aqui é que "os 'judeus' nesse evangelho são de ordinário as autoridades hostis a Jesus como grupo restrito e típico; geralmente não são o povo judeu".[10] A estes, João Batista deixa claro que não é o Messias, nem Elias, ou qualquer outro profeta, e sim: "Eu sou a voz daquele que clama no deserto: aplainai o caminho do Senhor" (1,23). E isso está lá no Segundo Isaías 40,3. Deserto lembra o êxodo e a libertação do povo de Deus rumo à Terra prometida.

Ao ver Jesus, João Batista afirma: "Eis o Cordeiro de Deus, que tira o pecado do mundo" (1,29). Mas o que significa "Cordeiro de Deus"? Esse Cordeiro tem um simbolismo todo especial, pois ele tira o pecado do mundo. No quarto cântico do servo sofredor,[11] temos: "Foi oprimido e humilhado, mas não abriu a boca; tal como cordeiro, ele foi levado

---

[9] Se você desejar aprofundar seus conhecimentos sobre esse evangelho, uma obra bem extensa, de quase mil páginas, e que comenta praticamente versículo por versículo é: MATEOS, Juan; BARRETO, Juan. *O Evangelho de São João:* Grande comentário bíblico. Tradução de Alberto Costa. São Paulo: Paulus, 1999. Outra obra indicada é: Konings, Johan. *Evangelho segundo João*: amor e fidelidade. São Paulo: Loyola, 2005, bem como outras citadas de modo geral nas referências bibliográficas no final deste livro.

[10] BÍBLIA. Português. Bíblia do peregrino. Organização de Luís Alonso Schökel. São Paulo: Paulus, 2002. p. 2.547 (nota de rodapé: 1,19-28).

[11] Se você desejar conhecer melhor esses cânticos do servo sofredor, que muitos atribuem como sendo todo o processo da Paixão de Jesus que carregou nossos pecados e morreu em uma cruz para nos salvar, leia meu livro: Albertin, Francisco. *Explicando o Antigo Testamento.* 10. ed. Aparecida: Santuário, 2011. p. 156-159.

para o matadouro; como ovelha muda diante do tosquiador, ele não abriu a boca. Foi preso, julgado injustamente; quem se preocupou com a vida dele? Pois foi cortado da terra dos vivos e ferido de morte [...], ele carregou os pecados de muitos e intercedeu pelos pecadores" (Is 53,7-8.12). Jesus é aquele cordeiro e o servo sofredor que aceita livremente morrer em uma cruz para perdoar nossos pecados e nos salvar. Antes de Jesus, os judeus costumavam fazer todo um ritual no Templo, matando cordeiros para expiar os pecados e as pessoas se reconciliarem com Deus. Mas parece que, em João, o significado tem tudo a ver com o cordeiro pascal, e você poderá ler Êxodo 12,1-14 para ter maiores informações. Juan Mateos e Juan Barreto afirmam: "a expressão 'o Cordeiro de Deus' que anuncia ao mesmo tempo a morte de Jesus e a nova Páscoa, ou seja, o êxodo que Deus realizará. É o Cordeiro festivo (Páscoa) e libertador (êxodo)".[12] Em João, sempre estão presentes a nova criação, a nova páscoa, a nova aliança, dentre outros temas. Mas por que Jesus é chamado de "Cordeiro de Deus", e não touro, leão, ovelha ou qualquer outro animal? Dizem que cada animal, quando sabe ou desconfia que vai ser morto, reage com violência contra o agressor. Somente e unicamente o cordeiro é um animal que, quando sabe ou desconfia que vai morrer, não reage com violência. Ao contrário, ele é manso e pacífico e a única coisa que acontece é que saem lágrimas de seus olhos e ele livremente entrega sua vida.

[12] MATEOS, Juan; BARRETO, Juan. Loco citato, 1999, p. 95.

Finalmente, João Batista vai dar o testemunho esperado:

> Contemplei o Espírito descendo do céu como pomba e pousando sobre ele. Eu não o conhecia; mas quem me enviou a batizar me havia dito: aquele sobre o qual vires descer o Espírito e pousar, é o que haverá de batizar com Espírito Santo. Eu o vi, e testemunho que ele é o Filho de Deus (1,32-34).

Com isso, o evangelista deixa claro para os adeptos do Batista que ele próprio afirma e testemunha que Jesus é o Filho de Deus e o único capaz de batizar não só com água, mas com o Espírito Santo.[13]

2.2. Mestre, onde moras? Vinde e vede

Em João, o chamado dos primeiros discípulos (1,35-51) é bem diferente do modo pelo qual narra Marcos, Mateus e Lucas.[14] Aqui é João Batista que está com dois de seus discípulos e de novo apresenta Jesus como o Cordeiro de Deus; eles ouvem e seguem Jesus. Tanto é que as primeiras palavras de Jesus nesse evangelho é: "'O que estais procurando?' Responderam: 'Rabi (que significa Mestre), onde moras?' Diz-lhes: 'Vinde e vede'" (1,38-39). Ainda hoje, Jesus pergunta-nos: "O que estais procurando?" Se quere-

[13] Se você desejar saber mais sobre o batismo de Jesus, de João e do batismo de modo geral na Igreja, leia meu livro: Albertin, Francisco. *Explicando as cartas de São Paulo*. 7. ed. Aparecida: Santuário, 2010. p. 164-170.

[14] Se você quiser saber mais sobre o chamado dos primeiros discípulos e outros temas nesses evangelistas, leia meu livro: ALBERTIN, Francisco. *Explicando o Novo Testamento,* obra citada anteriormente.

mos segui-lo é necessário também fazer a experiência do "vinde e vede". "A visão é tema central nesse evangelho em relação com a manifestação da luz-glória; equivale à experiência da vida-amor."[15] Para ficar bem claro: para seguir Jesus, temos de fazer a experiência de permanecer (morar) com ele, viver sua vida e amar como ele nos amou. Ver vai além do olhar ou de uma visão parcial. É uma experiência ao longo de toda a vida, tendo por base o mandamento do amor. "Nisso conhecerão todos que sois meus discípulos, se tiverdes amor uns pelos outros" (13,35).

A experiência feita com Jesus faz com que os discípulos chamem outros para contar as maravilhas que é morar (permanecer) com ele. André, cujo nome significa "humano, homem", vai chamar seu irmão Simão Pedro, que Jesus o chama de Cefas, que significa pedra. Também Filipe, que era de Betsaida, que significa "pescaria, lugar de pesca", terra de André e Pedro. Estaria João confirmando a informação dos outros evangelistas de que eles eram pescadores? Ou essa pesca tem a ver com a missão, o aspecto missionário de ir e evangelizar? Seja como for, as duas informações são importantes.

Filipe encontra um misterioso Natanael, que significa "dom de Deus". Uns até dizem que ele é o mesmo discípulo de nome Bartolomeu, mas isso não tem sustentação. Todos os seguidores de Jesus devem ser "dom de Deus" para a vida dos outros, uma pessoa de verdade e sem falsidade. A figueira aqui pode ser a imagem de Israel, conforme nos diz Oseias 9,10. Pode significar também a sabedoria, pois árvore, na Bíblia, tem esse sentido. O fato é que se pergunta: o que estava fazendo Natanael debaixo

[15] MATEOS, Juan; BARRETO, Juan. Loco citato, 1999, p. 110.

da figueira? Jesus diz: "Antes que Filipe te chamasse, eu te vi debaixo da figueira. Natanael respondeu: 'Mestre, tu és o Filho de Deus, o rei de Israel!'" (1,48-49). Mais do que uma curiosidade, o texto nos ensina que Jesus nos conhece na plenitude de nosso ser e nos convida a "*ver coisas maiores*" (cf. 1,50). Estamos dispostos? Vamos agora começar a ver os "sinais", ir além deles e, com a força do Espírito Santo, "ver coisas maiores" e permanecer com Jesus, e, mais do que isso, como converter, acolher a Palavra e sermos "Filhos de Deus".

2.3. Início dos sinais: "Minha hora ainda não chegou"

Queremos, juntamente com você, ir além do "livro dos sinais". Por aparecerem seis ou sete sinais, depende do modo de como alguns os concebem, tudo gira em torno do momento em que Jesus caminha sobre as águas (6,16-21). Uns pensam como sendo também um sinal. Já outros acham que, na primeira parte, aparecem apenas seis sinais (2,1-11; 4,46-54; 5,1-18; 6,1-15; 9,1-41; 11,1-44), pois o "sinal", por excelência, é a ressurreição do próprio Jesus (20). O que dizer sobre isso? Penso que, nesse evangelho, aparecem inúmeros sinais, uma vez que o sinal não é só aquilo que, num primeiro momento, aparenta ser, mas que aponta para além do que se pode tocar e ver. Não seria o "nascer do alto" que Jesus diz a Nicodemos (3,1-15) um sinal? O que dizer sobre a samaritana que Jesus afirma ser a "água viva"? Não é também um sinal? Revelar que os verdadeiros adoradores de Deus não estão nem no Monte Garizim, nem no Templo em Jerusalém, mas que os verdadeiros adoradores de Deus o adoram em "espírito e verdade", isso não é um sinal (4,10-15.19-25)? Ser o bom pastor (10,1-21), conhecer as ovelhas e dar livremente a vida por elas não são muito mais do que um sinal? E, assim sucessivamente, vamos encontrar inúmeros outros sinais que nos convidam a ir muito mais além do que meras narrativas ou fatos. Talvez o autor desse evangelho, preocupado com a maneira da comunidade acreditar e vivenciar os ideais de Jesus, tenha colocado sim alguns sinais em evidência para ajudar e confortar, em tempos de crises, de perseguição, quem não tinha mais o ardor "do primeiro amor". Colocou muitos outros sinais, bem como fatos e ensinamentos que desafiavam a comunidade a ir além de uma crença superficial e ficar parada somente neles, mas ir além e "ver coisas ainda maiores". Tomé, num primeiro momento, duvida da ressurreição de Jesus e, ao vê-lo, o reconhece e diz: "Meu Senhor e meu Deus", e Jesus diz: "Porque me viste, creste; bem-aventurados os que não viram e contudo creram" (20,28-29). Somos convidados a crer sem ter visto. Então, estudar a primeira parte de João (1,19–12,50) somente em função de seis ou sete sinais, seria muito pobre. Vamos estudar também estes, bem como outras narrativas, fatos, palavras e ensinamentos de Jesus.

Vamos dar início a nossos estudos com o sinal que aconteceu em uma festa de casamento em Caná da Galileia (2,1-11), onde Jesus, sua mãe, seus discípulos e muitos convidados se fizeram presentes. Mas acontece o inesperado, e a mãe de Jesus lhe diz: "Eles não têm vinho". Jesus responde: "Que queres de mim, mulher? Ainda não chegou a minha hora". Mas a mãe de

Jesus diz aos servidores: "Fazei tudo o que ele vos disser". Jesus pede a eles para encherem as seis talhas de água e eles levam até o mestre-sala que prova a água transformada em vinho e elogia o noivo porque esse vinho é melhor.

Finaliza dizendo que esse foi o início dos sinais de Jesus. Em Caná da Galileia, ele manifestou sua glória, e seus discípulos creram nele.

Há várias interpretações desse sinal, e muitos afirmam que, no Evangelho de João, é ele "o primeiro milagre" de Jesus, em que a mãe intercede a seu filho Jesus que transforma água em vinho. E em muitos lugares, encontramos esta bela frase de sua mãe: "Fazei tudo o que ele vos disser" (2,5).

Esse é o sinal, mas, em João, já sabemos que o sinal vai nos orientar ou apontar para algo que vai além do ver e do tocar. Em outras palavras: vai além do fato ou acontecimento em si, tem algo a mais por detrás, um ensinamento que Jesus quer mostrar de acordo com o plano e vontade de Deus.

Vamos iniciar pelo dado cronológico: João nos diz que foi "no terceiro dia" que aconteceu esse casamento. Tudo acontece nesse evangelho num período de duas semanas: a primeira começa em 1,29 e vai até 2,1, e a segunda começa em 12,1, com "*seis dias antes da Páscoa*", e vai até 19,31.42. Claro que na sequência (20,1) aparece que, "no primeiro dia da semana, muito cedo, ainda às escuras", se dará a ressurreição de Jesus.

Em 1,19, João Batista responde ao interrogatório dos sacerdotes e levitas e anuncia que é a voz que clama no deserto: "aplainai o caminho do Senhor" e batiza com água. Primeiro dia.

Em 1,29, diz que João Batista, no dia seguinte, viu Jesus aproximar-se, e diz que ele "é o Cordeiro de Deus, que tira o pecado do mundo". Segundo dia.

Em 1,35: No dia seguinte, João Batista chama de novo Jesus de "Cordeiro de Deus" e dois de seus discípulos seguem Jesus. Terceiro dia.

Em 1,43: No dia seguinte, Jesus encontra Filipe e diz: "Segue-me". Nesse mesmo dia, Filipe convida Natanael também. Quarto dia.

Em 2,1, diz que "no terceiro dia" é que acontece o casamento em Caná da Galileia.

Se forem contados esses dias, no sentido matemático, estamos no sétimo dia, ou seja, 4 mais 3. Mas o casamento de Caná, segundo João, acontece no sexto dia. Como assim? Qual é a explicação para isso?

"Na Bíblia, 'o terceiro dia' não deve ser entendido matematicamente; geralmente indica um breve lapso de tempo, às vezes relacionado com o (pronto) agir divino."[16]

Para não ficar sombra de dúvida:

> "no terceiro dia" significa "depois de amanhã", como aparece em Lc 13,32: *hoje, amanhã e no terceiro dia.* O mesmo uso verifica-se nas predições e relatos da ressurreição "no terceiro dia" ou "depois de três dias". Jesus morreu na sexta-feira pela tarde e ressuscitou no domingo; segundo nossa maneira de falar, aos dois dias.[17]

[16] Konings, Johan. Loco citato, p. 100.

[17] MATEOS, Juan; BARRETO, Juan. Loco citato, 1999, p. 133.

Se você tomar sexta-feira, sábado e domingo, dirá que há três dias; mas, se estamos na sexta-feira com relação ao domingo, vamos dizer depois de amanhã, ou seja, dois dias. Então, o casamento aconteceu exatamente no sexto dia. Mas o que João quis dizer com esse sexto dia?

Dissemos anteriormente que João começa seu evangelho dizendo: "no princípio" (1,1) e que isso se referia à criação lá no Gênesis, e agora esse sexto dia lembra exatamente a criação do homem e da mulher (Gn 1,24-31). Com Jesus, começa uma nova criação.

O casamento acontece em Caná da Galileia, que fica aproximadamente a 15 km de Nazaré; Caná está relacionado com o verbo hebraico *qanah*, que significa "adquirir, criar". Com Jesus, uma nova humanidade é criada.

Mas nesse casamento, falta o vinho, que era essencial para se ter uma festa, as núpcias do esposo e da esposa, e simbolizava também o amor. Se você tomar Cântico dos Cânticos 1,2, terá: "Beije-me com os beijos de sua boca! Seus amores são melhores do que o vinho". Hoje, quando se tem uma festa, com certeza terá música, muita alegria, refrigerante, cerveja, vinho e por aí vai. Na época de Jesus, acabar o vinho era sinônimo de acabar também com a festa ou ela ficar sem vida, sem alegria, chata e parada.

João coloca que, na casa ou no local da festa de casamento, havia seis talhas de pedra para a purificação dos judeus, com capacidade aproximadamente de 100 litros cada uma.

A finalidade das talhas, *a purificação*, era conceito que dominava a Lei antiga, a qual cria-

> va com Deus relação difícil e frágil, mediatizada pelos ritos. A necessidade contínua de purificação procedia da consciência de impureza, ou seja, de indignidade, criada pela própria Lei.[18]

Na Bíblia, o número seis significa imperfeição e incompleto, em comparação ao sete: perfeição e plenitude.

Antes de transformar a água em vinho, Jesus diz: "Ainda não chegou a minha hora" (2,4). Hora! O que significa isso? "Hora", no Evangelho de João, significa o momento de entrega da própria vida e da morte na cruz, como prova de amor, fidelidade, doação, glória e vida nova.

Mas o que significa o vinho melhor que Jesus transformou?

> O vinho simboliza o amor. O que Jesus dá significa, portanto, a relação de amor entre Deus e o homem que se estabelece na nova aliança, relação direta e pessoal, sem intermediários. O amor como dom é o Espírito (1.16.17) e é ele quem purifica.[19]

Não precisa mais de aliança, no sentido de leis, normas, decretos, proibições e imposições, como no Antigo Testamento.

Chegou a hora tão aguardada por muitos de explicar o que significa "a mãe de Jesus" e o que Jesus está fazendo nesse casamento.

O significado da "mãe de Jesus" é belíssimo. Ela não precisa de nenhum sinal para acreditar e crer no poder de Deus. Tanto é verdade que, quando Jesus diz: "Que queres de mim, mulher?

---

[18] Ibidem, p. 141.

[19] Ibidem, p. 144.

Ainda não chegou a minha hora" (2,4), ela simplesmente diz aos que serviam: "Fazei tudo o que ele vos disser" (2,5). Tamanha era sua confiança que para Deus nada é impossível. "A mãe, que pertence à antiga aliança, mas que reconhece o Messias e espera nele, personifica os israelitas que conservaram a fidelidade a Deus e a esperança em suas promessas".[20] Ela é a mulher que é a mãe da comunidade da antiga aliança. É aberta para acolher a Palavra e o novo ensinamento de Jesus. Que lição maravilhosa nos ensina a mãe de Jesus.

E o que Jesus está fazendo nessa festa de casamento que parece um pouco estranha? Jesus é o NOIVO. Mas, em momento algum, se fala da noiva. E quem é ela? É a humanidade, todos nós, de todos os tempos e lugares. Como assim? Jesus, o noivo, quer casar-se com a humanidade, que é a noiva e estabelecer uma aliança de amor, compromisso, carinho, fidelidade, intimidade. É esse um dos significados desse misterioso casamento de Caná da Galileia. Outros autores poderão colocar suas visões e opiniões sobre esse fato, mas, no fundo, o sinal aponta que chegou a hora de estabelecer uma aliança de amor direta entre Deus e os homens.

Mas como se comprova isso? Para quem já tem um bom conhecimento do Antigo Testamento,[21] sabe que essa imagem de Deus, como esposo, e a humanidade ou (Israel), como esposa, dentre outras, fica evidente, ao longo de todo o livro do

---

[20] Ibidem, p. 139.

[21] Se você desejar conhecer melhor a Palavra de Deus, leia meu livro: ALBERTIN, Francisco. *Explicando o Antigo Testamento*, obra citada anteriormente. E para saber mais sobre a imagem do casamento entre Deus (esposo) e a humanidade (esposa), leia a explicação no profeta Oseias (p. 184-189).

profeta Oseias, onde Deus mesmo diz: "Agora, sou eu que vou seduzi-la, vou levá-la ao deserto e conquistar seu coração [...] Nesse dia – oráculo de Javé – você me chamará 'Meu marido' [...] Eu me casarei com você para sempre, me casarei com você na justiça e no direito, no amor e na ternura. Eu me casarei com você na fidelidade e você conhecerá Javé" (Os 2,16.18.21-22). Javé, no Antigo Testamento, significa aquele que salva e liberta, e é o mesmo Deus, o Senhor, o Pai, conforme nos ensina Jesus.

Mas, quando se diz que Jesus transformou água em vinho, é só um sinal, conforme João coloca ou é um milagre? Como explicar isso? Vamos dar início ao nosso "Saiba mais..." e esclarecer a diferença.

Saiba mais...

Milagres e Sinais

Para não deixar margem de dúvida, esclarecemos que "a teologia moderna define o milagre como um fenômeno da natureza que transcende as causas naturais a ponto de dever ser atribuído à intervenção direta de Deus".[22]

O termo em grego é *dynamis*, no sentido de potência, de poder. Sinal vem do termo grego *semeion* e, em João, "'sinal' é a ação realizada por Jesus que, sendo visível, leva

[22] MILAGRE. In: DICIONÁRIO Bíblico. Tradução de Álvaro Cunha et al. 4. ed. São Paulo: Paulus, 1984. p. 611.

por si ao conhecimento de realidade superior"[23]. Os sinais são necessários para ele só num primeiro momento, para iluminar aqueles que ainda não têm fé madura, pois o ideal será acreditar em Jesus como o Filho de Deus sem ver sinais (20,29). Em João, o sinal maior é a ressurreição de Jesus e a vivência do amor na comunidade que gera vida nova, e ele é importante, pois aponta para além do que se vê. Muitos profetas do Antigo Testamento e também Moisés se serviam de "sinais" que comprovavam que eram enviados por Deus, como as pragas do Egito (Êx 7,14ss); passagem pelo mar vermelho a pé enxuto (Êx 14,15-31); o profeta Elias que se hospeda na casa da viúva, onde a vasilha de farinha e a jarra de azeite ou óleo nunca acabam, bem como a revitalização do filho da viúva que estava morto (1Rs 17,7-24); a cura da lepra de Naamã, o Sírio pelo profeta Eliseu (2Rs 5,1-19), e muitos outros.

Jesus mesmo se refere a esses dois últimos sinais (Lc 4,22-30), dentre os muitos outros, como essenciais para comprovar o amor e a misericórdia de Deus e ajudar a comunidade a superar a crise e a perseguição que estava vivenciando.

Sobre os milagres de Jesus em Marcos, Mateus e Lucas, temos várias narrativas e curas extraordinárias. "Ao pôr do sol, todos os que tinham doentes atingidos por diversos males, os levavam a Jesus. Jesus colocava as mãos em cada um deles e os curava" (Lc 4,40).

---

[23] MATEOS, Juan; BARRETO Juan. *Vocabulário teológico do Evangelho de São João.* Tradução de Alberto Costa. 2. ed. São Paulo: Paulus, 2005. p. 258.

Fundamental nos outros evangelistas para se ter um milagre é a questão de ter fé. Tanto é verdade que Jairo vai procurar Jesus para curar sua filha, que está muito doente, e ao saber por empregados que ela havia morrido, Jesus diz a ele: "Não tenha medo; apenas tenha fé!" (Mc 5,36), e ressuscita, conforme alguns dizem, o termo correto seria revitaliza a menina, pois esta viveu novamente para depois morrer, e Jesus foi o primeiro a ressuscitar e dar vida nova e ressurreição. A mulher que sofria de hemorragia foi curada pelo simples fato de tocar na roupa de Jesus e ele diz: "Minha filha, sua fé curou você" (Mc 5,34). Jesus realizou inúmeros milagres. Em Nazaré, sua terra natal, Jesus "não fez muitos milagres aí, por causa da falta de fé deles" (Mt 13,58).

É muito importante saber "que a narrativa joanina está cheia de simbolismos e, afinal, é um 'sinal', que exige que descubramos seu sentido profundo para a fé e não fiquemos presos na pergunta sobre aquilo que ocorreu materialmente".[24]

E aí precisamos ainda de "sinais" ou "milagres" para acreditar que, de fato, Jesus é o Filho de Deus?

É maravilhoso conhecer a Palavra de Deus que nos salva, liberta e nos dá vida nova. Já que estamos unidos "em casamento" com Jesus, no amor, carinho, intimidade e fidelidade, vamos caminhar juntos e você irá descobrir segredos profundos que

[24] Konings, Johan. Loco citato, p. 219.

Jesus quer revelar a todos nós, como "nascer de novo ou para as coisas do alto", receber "a água viva", "comer sua carne e beber seu sangue" e outras coisas ainda maiores.

2.4. Nascer de novo ou nascer do alto

Nicodemos, que era do partido fariseu e autoridade entre os judeus, vai procurar Jesus à noite (3,1-15). Ele talvez esteja impressionado com os sinais realizados por Jesus, que lhe responde: "Eu garanto a você: se alguém não nasce do alto, não poderá ver o Reino de Deus". Nicodemos não entende o que Jesus diz e pergunta: "Como é que um homem pode nascer de novo, se já é velho? Poderá entrar outra vez no ventre de sua mãe e nascer?" E Jesus responde: "Eu garanto a você: ninguém pode entrar no Reino de Deus, se não nasce da água e do Espírito. Quem nasce da carne é carne, quem nasce do Espírito é espírito. Não se espante se eu digo que é preciso vocês nascerem do alto" (3,3-7).

Percebe-se que Nicodemos está com medo dos judeus ou de ser visto por alguém e procura Jesus às escondidas. "A noite significa a resistência a deixar-se iluminar por Jesus, a luz, por causa de uma ideologia que se opõe ao amor de Deus pelo homem."[25] Em João, nascer de novo ou nascer do alto é a mesma coisa, não é meramente voltar ao seio materno ou mudar apenas algumas coisas para se adequar aos ensinamentos de Jesus.

Nascer de novo ou do alto é romper-se com um modo de vida, batizar, seguir em tudo a Jesus e viver como ele viveu. Não

---

[25] MATEOS, Juan; BARRETO, Juan. Loco citato, 1999, p. 175.

é um esforço com mérito humano, mas um dom de Deus que é capaz de nos fazer "nascer de novo". E Nicodemos foi embora. Quando o Evangelho de João foi escrito, por volta do ano 95, os cristãos já haviam sido expulsos pelos judeus das sinagogas e a convivência entre judeus/cristãos era conturbada e de acusações entre si.

Será que estamos assumindo nosso batismo e somos cristãos de verdade?

Mas o que quis dizer Jesus ao afirmar: "quem nasce da carne é carne, quem nasce do Espírito é espírito?" (3,6).

Saiba mais...

Carne e Espírito

Carne, em grego, é *sarx* e, em hebraico, pode ser traduzida por *basar*. Supõe-se o ser humano criado, que é de carne, e por ser assim está sujeito a doenças, debilidades, fraquezas, morte.

"Para João, o homem de carne é a primeira etapa do plano criador de Deus; [...] A carne, criada por Deus, não é princípio mau, mas somente fase inacabada."[26] O fim da carne é a morte e o fim do espírito é a vida.

Espírito, em grego, é *pneuma* e, em hebraico, *ruah*, que significa "vento", "sopro", "alento". É a força e o princípio vital, é o ser humano em toda a sua plenitude.

---

[26] Idem, loco citato, 2005, p. 36.

Os gregos concebem o ser humano dividido: em corpo e alma. O corpo é perecível, passageiro, mortal, enquanto a alma é imortal. Platão até dizia "que o corpo era a prisão da alma". Os gregos desprezavam o corpo, e a prática sexual era atividade do corpo que não atingia a alma. Por isso, quando se fala em carne e espírito, pensamos como sendo contrários um ao outro, de acordo com a mentalidade grega.

Mas, em hebraico e na Bíblia, não é assim. O ser humano é uno, um só. Ser vivo. Deus criou o homem e a mulher e soprou neles a vida (Gn 2,7) e o ser humano se tornou vivente.

Então por que Jesus diz: "quem nasce da carne é carne, quem nasce do Espírito é espírito?" Aqui não tem dualismo ou oposição um ao outro, a Bíblia sempre coloca o homem e a mulher como sendo um ser uno. Esse modo de falar tem a ver com a maneira de ser e se comportar.

Quem apenas nasce da "carne" continua sendo um mero ser humano, fechado no seu egoísmo. Quem nasce do Espírito transforma-se em pessoa impulsionada por Deus. Isso se expressa na água do batismo cristão, mas a água ritual do batismo não basta: o Espírito é que deve ser derramado sobre nós e dentro de nosso coração.[27]

[27] Konings, Johan. Loco citato, 2005. p. 115.

É uma opção livre do homem e da mulher, que nascem da carne, decidirem renascer no Espírito. João coloca que é só na cruz, quando Jesus doa sua vida, que ele entrega o Espírito que passa a ser vida em nossas vidas.

2.5. O encontro de Jesus com a samaritana: a água viva

> Aquele que beber da água que eu lhe darei nunca mais terá sede; pelo contrário, a água que eu lhe darei se tornará nele uma fonte que jorrará para a vida eterna (4,14).

O encontro de Jesus com a samaritana revela-nos coisas profundas do amor de Deus para com cada um de nós. Ele nos conhece por dentro e nos chama a beber a água viva que jorra para a vida eterna. Como a samaritana, também podemos pedir: "Senhor, dá-me essa água, para que eu não tenha mais sede" (4,15). Nesse poço de sabedoria, acolhimento, misericórdia e amor de Jesus, vamos beber um pouco dessa água viva se abrirmos nosso coração a Jesus, como fez a samaritana. E, com certeza, esse processo de conversão, a que o texto nos convida, mudará toda a nossa vida.

João preocupa-se muito em situar o horário em que as pessoas encontram-se com Jesus. Os primeiros discípulos encontram-se com Jesus por volta de quatro horas da tarde (1,39), ou seja, próximo do pôr do sol, e fim do dia, por volta de 18 horas, e também próximo ao começo de um novo dia após o pôr do sol, depois das 18 horas, ou seja, seis horas da tarde. Nicodemos procura Jesus à noite (3,2). Já falamos que tem a ver com a luz, que é Jesus, e as trevas da noite, que simbolizam o pecado e o erro. Com a samaritana, o encontro acontece ao meio-dia (4,7); a cura do filho do funcionário real é a uma da tarde (4,52), e assim vai. Tudo tem um simbolismo e um ensinamento por detrás, da mesma forma que todo o evangelho acontece em duas semanas e a ressurreição se dá no primeiro dia da semana (começo da terceira?). Tudo gira em torno de dias, números, fatos, sinais e acontecimentos. Meio-dia é o horário da luz em plenitude, de enxergar melhor, ver Jesus, e isso a samaritana faz muito bem. E aí começa um diálogo em que o mestre João usa toda a sua capacidade de escritor e narra coisas profundas. Seria bom você ler vários autores que escrevem sobre esse encontro de Jesus com a samaritana, cada um com seu dom, com a luz do Espírito Santo. Cada um, com seu modo de ver e entender, consegue partilhar coisas profundas, outros conseguem enxergar bem, como a luz do meio-dia, e revelam coisas maravilhosas sobre Deus.

É o próprio Jesus quem provoca esse encontro e parte de algo simples e essencial na vida dos homens: a água. "*Dá-me de beber*"; a samaritana assusta muito e responde: "*Como é que tu, sendo judeu, pedes de beber a uma mulher samaritana?*" (4,9). Era para se assustar sim por causa de alguns motivos da época. Primeiro: os judeus e samaritanos não se davam muito bem, havia acusações, mal-entendidos, rivalidades e inimizades; segundo: um homem que se considerava "digno de honra" jamais conversava com uma mulher que não fosse a sua em público ou a sós; terceiro: até os discípulos admiram-se de ver Jesus falando com uma mulher, pois poderia "pegar mal" e até levantarem suspeitas de "segundas intenções" por parte do homem, por estar a sós com uma mulher; quarto: tal qual aparece no texto, a samaritana poderia ser tida como prostituta ou adúltera e poderiam ter ainda outros motivos.

Mas a bondade de Jesus o leva a dizer: "se conhecesses o dom de Deus e quem é que te pede de beber, tu pedirias a ele, e ele te daria água viva" (4,10). Como é de costume nesse evangelho, às vezes, os personagens respondem de modo "ingênuo" ou inocente, o que leva Jesus a anunciar coisas mais profundas. Assim, no "nascer de novo", Nicodemos pergunta se pode alguém entrar no ventre da mãe para nascer novamente (3,4); agora é a samaritana quem pergunta como vai fazer isso se não tem balde e o poço é profundo, seriam as águas mais profundas, vivas? O que leva Jesus a explicar melhor para ela e a todos nós: "Todo aquele que bebe desta água ainda terá sede; mas aquele que beber da água que eu lhe darei nunca mais terá sede; pelo contrário, a que eu lhe darei se tornará nele uma fonte que jorrará para a vida eterna" (4,14).

Que água viva é essa que jorra para a vida eterna? Uns dizem que é a água do batismo, outros que, "nessa região próxima do deserto, a *água* é o símbolo de todos os valores de vida (Is 12,3; Jr 2,13; 17,13), em particular da sabedoria (Br 3,12; Eclo 15,3; 24,30-31), da lei ou do Espírito (Is 44,3; Jl 3,1). Jo pensa aqui no dom do Espírito que dá a vida eterna (cf. 7,38-39)".[28] E, em João 7,37b-39, temos: "Se alguém tem sede, venha a

[28] BÍBLIA. Português. TRADUÇÃO ECUMÊNICA (TEB). São Paulo: Loyola, 1994. p. 2.050 (nota de rodapé "w").

mim e beba. Daquele que crê em mim, como diz a Escritura, jorrarão rios de água viva. Ele designava assim o Espírito que deviam receber os que creriam nele: com efeito, ainda não havia Espírito, porque Jesus ainda não fora glorificado".

A água é símbolo de vida, pois sem ela ninguém vive. Em João, tem a ver com o dom do Espírito, que dá a vida eterna. Isso só será possível quando chegam a "hora e a glória" que acontecem no momento da entrega da vida de Jesus em uma cruz para nos salvar, quando ele finalmente nos dá o "Espírito". Sobre isso, falaremos no momento da crucificação (19).

A água viva é a água de nosso batismo, quando se tem um novo nascimento. A água viva pode ser *a graça de Deus* presente em cada um de nós. Mas, acima de tudo, o dom de Deus é Jesus. Ele é a fonte de água viva que nos garante a vida eterna. Conforme foi escrito logo acima, como a samaritana, podemos pedir: "Senhor, dá-me essa água, para que eu não tenha mais sede" (4,15), ou seguir o conselho que o próprio Jesus nos diz: "Se alguém tem sede, venha a mim e beba. Daquele que crê em mim, como diz a Escritura, jorrarão rios de água viva" (7,37-38). Jesus é o único capaz de saciar nossa sede, pois só ele é a água viva, é o único a saciar nossa fome, pois só ele é o Pão vivo (6,51).

João faz uma rede entrelaçada em que um texto tem a ver com o outro. A água lembra o batismo de João Batista que diz que só Jesus é capaz de batizar no Espírito Santo (1,32-34), lembra a Nicodemos que "ninguém pode entrar no Reino de Deus, se não nasce da água e do Espírito" (3,5). Seria bom se você pegasse o texto de Nicodemos (3,1-15) e, comparando com o da samaritana (4,4-42), procurasse algumas semelhanças e diferenças entre eles.

Faça esse exercício, converse com o texto, escute o que ele diz.

Dentre muitos aspectos semelhantes, vamos destacar alguns. E você, que fez a comparação entre os textos, possivelmente encontrou outros. Por isso é bom ler a Bíblia em comunidade ou meditar pessoalmente o que o texto diz. Nicodemos é homem e a samaritana mulher. E daí? Tinha discriminação entre homens e mulheres. Havia até aqueles que diziam que não deveriam ensinar a Lei às mulheres. Nicodemos é judeu importante e "mestre", e a mulher samaritana é pobre e excluída; Nicodemos procura Jesus à noite, e a samaritana em plena luz do dia (meio-dia). Em comum, está a questão de nascer do alto ou de novo, fazendo necessário nascer da água e do Espírito, em poucas palavras: o batismo. Nicodemos recusa-se a nascer de novo, ou seja, deixar de ser judeu, ser batizado e seguir Jesus Cristo como cristão; ele quer seguir a Lei antiga. A samaritana deixa o balde com ou sem água, lembra as talhas sem água da purificação dos judeus (2,6) (deixa a Lei?) e sabe que só Jesus é a água viva e vai anunciá-lo aos samaritanos.

Nicodemos, em seu diálogo com Jesus, não se converte, e a samaritana sim. Tanto é verdade que começa chamando Jesus de Judeu (4,9), depois de Senhor (4,11.15), depois o chama de profeta (4,19). Por fim, anuncia aos samaritanos: "Vinde ver um homem que me contou o que fiz: será ele o Messias?" (4,29), o que leva os samaritanos confessarem: "Este é realmente o salvador do mundo" (4,42).

Em João, temos a questão do "Vinde e vede". É necessário fazer uma experiência e conhecer Jesus, permanecer com ele. Quando os dois primeiros discípulos perguntam onde ele mora, Jesus responde: "Vinde e vede" (1,39). Filipe, ao convidar Natanael, diz: "Vem e verás" (1,46). O testemunho da samaritana é impressionante: não precisam acreditar no que estou dizendo, "Vinde ver um homem que me contou o que fiz: será ele o Messias?", ou seja, o Enviado, o escolhido, o Filho de Deus. Jesus permanece ali dois dias e eles dizem à mulher: "Já não cremos pelo que contaste, pois nós mesmos escutamos e sabemos que este é realmente o salvador do mundo" (4,42).

Para você que está acompanhando o desenrolar desse lindo texto, pode parecer estranho que até 4,15 se fale sobre a questão da água viva e a partir de 4,16 muda completamente o assunto em relação ao marido da samaritana. O que será que tem por detrás disso? Vamos ao texto: Jesus lhe diz:

> Vai, chama teu marido e volta aqui.
> A mulher lhe respondeu:
> – Não tenho marido.
> Diz-lhe Jesus:
> – Tens razão em dizer que não tens marido, pois tiveste cinco homens, e tampouco o de agora é teu marido. Nisso disseste a verdade (4,16-18).

A conversa entre Jesus e a samaritana estava indo tão bem! Por que será que ele mudou de assunto? *Literalmente*, o texto deixa claro que a samaritana era amasiada, juntada, amigada, ou estava em segunda união, morava junto, vivia em pecado; *simbolicamente*, vivia em adultério, praticava a idolatria e outros termos mais que "alguns" seres humanos dizem por aí. Desconcertante é entender o que Jesus responde: em meio a tantas coisas "negativas" para alguns, por conhecer o ser humano por dentro,

Jesus vai ver o lado positivo e chamar a samaritana de sincera e verdadeira, pois, em sua busca da "água viva", andou por vários caminhos à procura do verdadeiro amor. O Papa Francisco, em sua linda e maravilhosa exortação apostólica *Amoris Laetitia* (A alegria do amor), referindo-se a esse texto da samaritana (cf. Jo 4,1-26), diz que Jesus "dirigiu uma palavra ao seu desejo de amor verdadeiro, para a libertar de tudo o que obscurecia sua vida e guiá-la para a alegria plena do Evangelho".[29]

Ao longo dos tempos e principalmente nos dias de hoje, por diversos motivos, vários casamentos são desfeitos. O próprio Papa Francisco afirma que: "É preciso reconhecer que 'há casos em que a separação é inevitável. Por vezes, pode tornar-se até moralmente necessária'".[30] As pessoas que partem para uma segunda (ou mais) união, na tentativa de constituir um novo lar e uma nova família, por tentar buscar a felicidade, enfrentam um emaranhado "de leis e normas" para participar da comunidade, da comunhão eucarística e do sacramento da reconciliação. Tendo a oportunidade de participar de encontro de casais em segunda união, muitos deles carregam feridas profundas e alguns anseiam para serem Igreja, exercerem um trabalho pastoral e não se sentirem excluídos. Todavia, o Papa São João Paulo II afirma, em relação aos casais que contraíram nova união: "Reze por eles a Igreja, encoraje-os, mostre-se mãe misericordiosa e sustente-os na fé e na esperança".[31] O Papa Francisco diz:

---

[29] PAPA FRANCISCO. A alegria do amor. In: *Exortação apostólica Amoris Laetitia*. 1. ed. São Paulo: Edições Loyola, 2016. Parágrafo 294. p. 165.

[30] PAPA FRANCISCO. A alegria do amor. In: *Exortação apostólica Amoris Laetitia*. 1. ed. São Paulo: Edições Loyola, 2016. Parágrafo 241, p. 137.

[31] JOÃO PAULO II. A missão da família cristã no mundo de hoje. In *Exortação apostólica*

> Nas situações difíceis em que vivem as pessoas mais necessitadas, a Igreja deve dedicar especial atenção em compreender, consolar e integrar, evitando impor-lhes um conjunto de normas, tendo como resultado fazê-las sentirem-se julgadas e abandonadas precisamente pela Mãe que é chamada a levar-lhes a misericórdia de Deus. Assim, em vez de oferecer a força sanadora da graça e da luz do Evangelho, alguns querem "doutrinar" o Evangelho, transformá-lo em "pedras mortas para as jogar contra os outros".[32]

Inspirado pelo Espírito Santo e pela santidade da própria vida e fiel aos ensinamentos de Jesus, o Papa Francisco, nessa Exortação Apostólica, exorta aos Bispos, Padres, Religiosas e Religiosos, Agentes de pastorais e fiéis: "Às vezes, custa-nos muito dar lugar, na pastoral, ao amor incondicional de Deus. Pomos tantas condições à misericórdia que a esvaziamos de sentido concreto e real significado, e esta é a pior maneira de frustrar o Evangelho".[33] Em sua exortação, fica nítido que cada caso é um caso, por isso faz-se necessário o Padre, o Bispo e Agentes de pastorais: **ACOMPANHAR, DISCERNIR E INTEGRAR** caso a caso. E para não deixar qualquer sombra de dúvida sobre qual caminho seguir, o Papa Francisco é claro: "O caminho da Igreja, des-

Familiaris Consortio. 10. ed. São Paulo: Paulinas, 1991, p. 148.

[32] PAPA FRANCISCO. A alegria do amor. In: *Exortação apostólica Amoris Laetitia.* 1. ed. São Paulo: Edições Loyola, 2016. Parágrafo 49, p. 36.

[33] PAPA FRANCISCO. A alegria do amor. In: *Exortação apostólica Amoris Laetitia.* 1. ed. São Paulo: Edições Loyola, 2016. Parágrafo 311, p. 177.

de o Concílio de Jerusalém em diante, é sempre o de Jesus: o caminho da misericórdia e da integração".[34]

Referindo-se aos casos dos que vivem em situações "irregulares", ou seja, pessoas que só contraíram matrimônio civil, divorciados(as) que se casaram novamente, amigados, juntados, mera convivência, segunda (ou mais) união, dos casos difíceis e das famílias feridas, diz:

> Por causa dos condicionalismos ou dos fatores atenuantes, é possível que uma pessoa, no meio de uma situação objetiva de pecado – mas subjetivamente não seja culpável ou não o seja plenamente –, possa viver em graça de Deus, possa amar e possa também crescer na vida de graça e de caridade, recebendo para isso a ajuda da Igreja. [...] Em certos casos, poderia haver também a ajuda dos sacramentos. Por isso, "aos sacerdotes, lembro que o confessionário não deve ser uma câmara de tortura, mas o lugar da misericórdia do Senhor" (EG, n. 44). E de igual modo assinalo que a Eucaristia "não é um prêmio para os perfeitos, mas um remédio generoso e um alimento para os fracos" (EG, n. 47).[35]

Repetindo o que o próprio Papa Francisco diz: "Em certos casos, poderia haver também a ajuda dos sacramentos".

Qual seria a atitude de Jesus para com os casais em situações "irregulares"? A samaritana tem muito a nos ensinar. Jesus

[34] PAPA FRANCISCO. A alegria do amor. In: *Exortação apostólica Amoris Laetitia.* 1. ed. São Paulo: Edições Loyola, 2016. Parágrafo 296. p. 166.

[35] PAPA FRANCISCO. A alegria do amor. In: *Exortação apostólica Amoris Laetitia.* 1. ed. São Paulo: Edições Loyola, 2016. Parágrafo 305. p. 173.

a acolheu, a amou, olhou seu coração e ofereceu a ela e a todos, sem excluir ninguém, a água viva. Soube enxergar o lado bom na sinceridade desta mulher, permitiu que ela fosse "discípula-missionária": "Muitos samaritanos dessa cidade acreditaram em Jesus, por causa do testemunho que a mulher tinha dado. 'Ele me disse tudo o que eu fiz'" (4,39).

Deus também me permitiu "morar e viver no meio deles" em uma bela experiência missionária, no Norte do Brasil, onde, em algumas comunidades rurais ou colônias, e em alguns povoados ribeirinhos, próximos aos rios, às vezes, havia apenas dois ou três casais casados na Igreja e muitos outros em segunda união (quando um deles ou os dois se casaram na Igreja, depois se separou ou separaram, e contraiu ou contraíram nova união), e outros amasiados, amigados, morando juntos etc. Pude "ver" também neles coisas maravilhosas, testemunhos verdadeiros de fé, da mesma maneira que vi nos casais que permaneciam fiéis ao matrimônio na Igreja.

Para finalizar esse assunto, partindo da inspiração na primeira carta de João, para mim fica claro este sinal:

***"Deus é amor: quem permanece no amor permanece em Deus, e Deus permanece nele"* (1Jo 4,16).**

Retornando ao assunto do texto, João é sempre João, claro que tem alguma coisa por detrás desses cinco maridos e agora estar com o sexto... Por que cinco e não três, sete ou dez? Observe que, nesses dois versículos acima, a palavra marido aparece cinco vezes, sendo quatro "marido" e uma vez "cinco homens", referindo-se a maridos. Alguns entendem que podem ser os cinco deuses dos samaritanos que aparecem em 2Rs 17,29-41. Mas o que tem a ver marido com deuses ou ídolos? Tem tudo a ver.

Já dissemos atrás, no casamento em Caná da Galileia, que Jesus é o noivo e quer se casar com a noiva, que é a humanidade, para estabelecer uma aliança, não de normas ou decretos, mas de amor, união, intimidade e carinho para com todos nós, e para isso utiliza a linguagem do casamento. Oseias é o profeta que mais fala e utiliza a imagem do casamento, no sentido que Deus quer casar-se com o povo e no sentido de prostituição e idolatria para as pessoas que são infiéis a essa aliança de amor para com Deus:

> O Senhor disse a Oseias: "Vá! Tome uma prostituta e filhos da prostituição, porque o país se prostituiu, afastando-se do Senhor" (Os 1,2).
>
> Não se alegre, Israel, não faça festa como os outros povos. Traindo o seu Deus, você agiu como prostituta (Os 9,1).
>
> Nesse dia – oráculo do Senhor – você me chamará "Meu marido" e não mais "Meu ídolo". [...] Eu me casarei com você para sempre, me casarei com você na justiça e no direito, no amor e na ternura. Eu me casarei com você na fidelidade e você conhecerá o Senhor (Os 2,18.21-22).
>
> Quero voltar para meu primeiro marido; naquele tempo era bem mais feliz do que agora (Os 2,9).

Esse primeiro marido é o verdadeiro Deus.

Outro profeta que utiliza também essa linguagem do casamento de Deus com o povo e a infidelidade a Ele como sendo prostituição e idolatria é Ezequiel, que diz que recebeu esta mensagem do Senhor Deus:

> Criatura humana, havia duas mulheres, filhas da mesma mãe. Desde moças, elas prostituíram-se no Egito. Desde que caíram na prostituição, deixaram estranhos acariciar seus seios e apalpar seus peitos de adolescente. A mais velha se chamava Oola e a mais nova Ooliba. Elas eram minhas esposas e tiveram filhos e filhas. Oola é Samaria, e Ooliba é Jerusalém. Oola ainda estava comigo quando se prostituiu, deixando-se seduzir por seus amantes (Ez 23,1-5).

Reparem que as duas moças que se prostituíram e deixaram estranhos acariciar seus seios e tiveram amantes chamam-se Oola e Ooliba. Enquanto tudo caminha numa linguagem de sexualidade, o segredo é revelado: Oola é Samaria, e Ooliba é Jerusalém (Ez 23,4), simbolizando o povo de Deus, Israel; fala então de cidades, não de mulheres, significa idolatria, adorar outros deuses.

Nesse sentido, o ensinamento a seguir sobre como adorar a Deus não muda de assunto, pois tem tudo a ver com Jesus que é a água viva, o marido da humanidade e o único que tem que ser adorado e amado. Só ele é a água viva que sacia a ânsia de amar, adorar e ser feliz. A samaritana, que está diante de Jesus, não perde tempo e pergunta onde e como adorar a Deus, e a resposta de Jesus surpreende:

> Acredite-me, ó mulher, vem a hora em que nem sobre esta montanha, nem em Jerusalém adorareis o Pai. Vós adorais o que não conheceis; nós

> adoramos o que conhecemos, pois a salvação vem dos judeus. Mas vem a hora, e é agora, na qual os verdadeiros adoradores adorarão o Pai em espírito e verdade; tais são, com efeito, os adoradores que o Pai procura. Deus é espírito, e por isso os que o adoram devem adorar em espírito e verdade (4,21-24).

Adorar a Deus em espírito e verdade. Como explicar melhor isso?

> Deus é definido por João como Espírito, ou seja, dinamismo de amor que se expressou na criação do homem. [...] *Deus é Espírito*, explicado como dinamismo de amor, faz compreender os efeitos da água viva que Jesus dá a beber e que sacia a sede do homem.[36]

Como definir a verdade? Por si, é difícil chegar a uma definição de uma palavra tão abrangente. Johan Konings diz que: "'verdade' exprime aqui a relação de lealdade e fidelidade para com a verdade fontal, que é manifestação de Deus em Jesus como 'amor até o fim'".[37]

Já não interessa mais o monte Garizim ou o Templo em Jerusalém ou qualquer outro lugar externo. Na discussão com os dirigentes dos judeus, com relação ao Templo (2,14-22), Jesus diz:

> "Destruam este Templo, e em três dias eu o levantarei". Os dirigentes dos judeus disseram: "A construção deste Templo demorou quarenta e

[36] MATEOS, Juan; BARRETO, Juan. Loco citato, 1999. p. 231.

[37] Konings, Johan. Loco citato, 2005. p. 127.

> seis anos, e tu o levantarás em três dias?" Mas o Templo de que Jesus falava era seu corpo. Quando ele ressuscitou, os discípulos se lembraram do que Jesus havia dito e acreditaram na Escritura e na palavra de Jesus (2,19-22).

Jesus, nesse episódio, acaba com o Templo e diz que seu corpo é o verdadeiro e único Templo. Ficou bem mais fácil agora entender que adorar a Deus em espírito e verdade, no sentido de lealdade, é viver como Jesus viveu, que se resume no amor e na entrega da própria vida; onde na cruz ele nos dá o Espírito, uma vida nova, onde tudo se resume na vivência do amor.

Em poucas palavras: adorar a Deus em espírito e verdade consiste em amar a Deus e aos irmãos com todo o nosso ser e por toda a nossa vida, vivendo sempre no amor, como fez Jesus.

2.6. Segundo sinal: "pode ir, seu filho está vivo"

Depois de ter convertido muitos samaritanos e eles admitirem que Jesus era "o salvador do mundo", chegou agora a vez de evangelizar e converter os pagãos. Trata-se da cura do filho de um funcionário do rei (4,46-54). Este insiste com Jesus para ir até Cafarnaum curar seu filho que estava às últimas, ou seja, quase morrendo. Jesus diz: "se vocês não veem sinais e prodígios, vocês não acreditam" (4,48). Jesus critica os detentores de poder que acham que a cura e a vida dependem do dinheiro. Não faz nada de espetacular, aliás nem desce para Cafarnaum e diz ao funcionário: "pode ir, seu filho está vivo" (4,50). O funcionário acreditou na palavra de Jesus. Acreditou ou teve fé? "João é o único escrito do Novo Testamento que nunca usa o substantivo 'fé', embora seja o que mais usa o verbo 'crer' – 98 vezes, mais que os outros três evangelhos e os escritos paulinos juntos. 'Crer' é mais dinâmico que ter 'fé'."[38] Coisas típicas de João; aliás o pai do menino teve de ir sem ver sinais prodigiosos.

No caminho, é informado por seus empregados que seu filho está vivo. Perguntou a que horas o menino havia melhorado, e eles respondem: "'a febre desapareceu ontem pela uma hora da tarde'. O pai percebeu que havia sido exatamente na mesma hora que Jesus lhe havia dito: 'Seu filho está vivo'" (4,52-53).

Tem mais mistério por aí e de novo em torno da hora, que é uma hora da tarde. "No Novo Testamento uma hora significa um breve período de tempo, ou o instante de tempo no qual um fato ocorre."[39]

O leitor atento pode perguntar, tomando por base que Jesus estava em Sicar, cidade da Samaria, por volta de meio-dia, e agora em Caná da Galileia cura o filho do funcionário real, por volta de uma hora da tarde. Como? Jesus não para de conversar com a samaritana e naquela época não havia avião, nem carro veloz. Pior do que isso, se Jesus fica com os samaritanos dois dias (4,40), o que se confirma logo a seguir: "dois dias depois, Jesus foi para a Galileia" (4,43), como explicar que a transformação da água em vinho, em Caná da Galileia, o princípio dos sinais (muitos dizem ser o primeiro sinal), mas é o princípio, pois ele vai continuar até o sétimo (ou sexto

---

[38] CONFERÊNCIA NACIONAL DOS BISPOS DO BRASIL. Loco citato, 2007. p. 34 (nota de rodapé 1).

[39] HORA. *DICIONÁRIO* Bíblico. Tradução de Álvaro Cunha et al. 4. ed. São Paulo: Paulus, 1984. p. 427.

para alguns), que é a ressurreição de Lázaro, tudo isso acontece no mesmo dia! Loucura, impossível! Sim, se você pegar literalmente como um único dia. Acontece que, em João, esse dia parece não ter fim, o que muitos chamam de "o dia que nunca termina", pois ele é simbólico e não real, cronológico; só uma pequena explicação e no final do evangelho vem a revelação do segredo que veremos ao abordar a morte e ressurreição de Jesus. Tanto o princípio dos sinais, como o segundo e os outros "é a continuação do 'sexto dia', que se prolonga até o sétimo sinal (ressurreição de Lázaro). Nesse 'sexto dia' surgem, a partir da prática de Jesus, a nova criação e a nova humanidade".[40]

Esse segundo sinal mostra que, se no princípio dos sinais os discípulos acreditaram em Jesus, agora nesse são os pagãos que acreditam no poder de Jesus. Por outro lado, tanto os samaritanos como os pagãos fazem parte da comunidade joanina, que é inclusiva; são bem acolhidos e todos vivem no ideal do amor.

2.7. Terceiro sinal: "levante-se, pegue sua cama e ande"

Estamos diante do terceiro sinal, em que Jesus vai curar um paralítico (5,1-18). Impressionante como até agora quase todos os acontecimentos têm a ver com a água: João que batiza com água e Jesus com o Espírito Santo; as talhas de água vazias, em que Jesus transforma água em vinho, o nascer de novo ou para as coisas do

[40] BORTOLINI, José. *Como ler o Evangelho de João*. São Paulo: Paulus, 1994. p. 53.

alto de Nicodemos, que tem a ver com o batismo que pressupõe a água; o encontro de Jesus com a samaritana no poço de Jacó, que tem a ver com a água viva; e agora um paralítico que está próximo à piscina com água medicinal; e no quarto sinal, Jesus vai dizer que é "pão vivo descido do céu", e no quinto sinal (para alguns), Jesus caminha sobre as águas. Tudo gira em torno das necessidades básicas do ser humano: comer e beber, e só Jesus pode saciar a fome e a sede da humanidade, pois só ele é a água viva e o pão vivo, daí porque subdividimos esta primeira parte até o capítulo 6 e você observou que realmente tudo está muito unido.

Novamente, João faz questão de situar os fatos, onde no local havia uma multidão de doentes, cegos, coxos, paralíticos e um homem estava doente há trinta e oito anos. Por que trinta e oito anos? Lembra o período que o povo passou da escravidão do Egito para a libertação rumo à terra prometida, o Êxodo, a caminhada pelo deserto, e lembra também uma geração, simbolizada por quarenta anos.

Enquanto esse homem doente confiava no agitar das águas, que era atribuído aos anjos, e que a água curava o primeiro que lá descesse – de fato, ainda hoje temos muitos lugares com águas curativas ou medicinais que eliminam verrugas, algumas feridas, manchas na pele e outros –, Jesus diz a ele: "'Levante-se, pegue sua cama e ande'. No mesmo instante, o homem ficou curado, pegou sua cama e começou a andar. Era um dia de sábado" (5,8-9).

Jesus arruma uma tremenda confusão, pois a cura acontece em dia de sábado, que era considerado sagrado, de descanso e não se podia fazer nada, nem mesmo carregar a cama. A Lei estava acima da vida: Jesus inverte ao dizer que o sábado foi feito para o homem e não o homem para o sábado (cf. Mc 2,27). A vida está acima de toda e qualquer Lei.

Estranho é o que Jesus diz ao homem que havia sido curado quando o encontra no Templo: "Você ficou curado. Não peque de novo, para que não lhe aconteça alguma coisa pior" (5,14). O que lhe poderia acontecer de pior se ele era paralítico e agora estava andando bem? Uma cura é sempre um sinal que aponta para algo mais profundo. Uma coisa é a doença física, outra ainda pior seria seguir a ideologia das leis do Templo que literalmente deixavam as pessoas paralíticas, sem movimento, sem personalidade, sem capacidade de decidirem por si mesmas e sem liberdade. E isso com certeza é pior que qualquer doença. Jesus quer nos dar vida nova e nos libertar de todo e qualquer mal. Acreditamos em Jesus? Também nós temos de levantar e andar.

2.8. Quarto sinal: "Senhor, dá-nos sempre deste pão"

O milagre do pão é comentado pelos quatro evangelistas (Mt 14,13-21; 15,32-39; Mc 6,30-44; 8,1-10; Lc 9,10-17; Jo 6,1-15). Jesus é o único capaz de saciar a fome da multidão que tinha fome de pão e da Palavra de Deus. Tudo gira em torno de menino (?). Mas é menino, rapaz ou homem? A Bíblia Edição pastoral e a TEB traduz por *rapaz*; a Bíblia de Jerusalém e a Bíblia do Peregrino por *menino*. E agora qual é o correto? Se tomarmos o texto em grego "original", ou o mais próximo do original, do *novum testamentum graece*, 27 ed., de Nestre-Aland, a palavra que aparece vem de *pai-*

dion, criança, mais especificamente, *paidarion*, o que significa criança, menino. Não está no sentido de *antropos*, homem, ser humano, pessoa e nem *andrós*, homem adulto. Embora alguns insistem que *paidarion*, em João, pode ter também sentido de rapaz, penso que o correto é realmente menino e isso se dá, a meu ver, por alguns motivos: pela palavra grega que foi traduzida, conforme colocamos acima, nos outros evangelistas (Mt 19,13-15; Mc 10,13-16; Lc 18,15-17) que colocam a importância da criança, menino, menina também vem de *paidion,* especificamente *paidia*. Em Marcos, Jesus é categórico: "aquele que não receber o Reino de Deus como uma criança, não entrará nele" (Mc 10,15).

Fiz todo um estudo nos mínimos detalhes e mediante muitos argumentos, pelos quais acredito que o modelo de discípulo de Jesus, no Evangelho de Marcos, não é o cego Bartimeu (Mc 10,46-52), como muitos estudiosos afirmam, e sim as crianças e o misterioso "Jovem nu" (Mc 14,50-52). Se você quiser aprofundar esse tema e saber por que são as crianças o modelo de discípulo em Marcos, leia meu livro: "Explicando o Novo Testamento", Editora Santuário, p. 52-54.57-60, e sobre o jovem nu ser o modelo do discípulo que segue Jesus até a cruz, p. 79-84. Mas tudo isso para mostrar um estudo especial da importância da criança ou menino(a) na Bíblia.

Juan Mateos e Juan Barreto, ilustres mestres em João, afirmam que o menino é o ponto de origem da solução: "Por sua idade e condição, ele é fraco, física e socialmente. [...] O menino é pobre, e seu alimento, de ínfima qualidade (pão de cevada) e escasso. [...] É possível que designe a comunidade enquanto servidora da multidão".[41]

Mas, tanto em João como nos outros evangelistas, o milagre do pão só é possível a partir da partilha: "Dai-lhes vós mesmos de comer" (Mt 14,16). Tanto naquela época, como hoje ou no futuro, o milagre do pão pode acontecer. Basta a partilha. A fome pode acabar no mundo quando houver partilha e se de verdade os homens viverem como "irmãos".

Na sequência do texto, novamente a multidão procura Jesus que diz:

> Eu garanto a vocês: vocês estão me procurando, não porque viram os sinais, mas porque comeram os pães e ficaram satisfeitos. Não trabalhem pelo alimento que se estraga; trabalhem pelo alimento que dura para a vida eterna. [...] Então eles pediram: "Senhor, dá-nos sempre deste pão" (6,26-27.34).

Mas qual é o pão que Jesus quer nos dar? Jesus afirma: "Eu sou o pão da vida. Quem vem a mim não terá mais fome, e quem acredita em mim nunca mais terá sede" (6,35). Foi inspirado nisso que colocamos como tema desta primeira parte de estudo: *Jesus é a água viva e o pão vivo que sacia a humanidade.*

Sempre imaginei que, se Deus me concedesse a graça, quando fosse escrever sobre este texto que considero lindo, maravilhoso, fantástico e profundo, que fala sobre "comer a carne e beber o sangue" de Jesus, e sobre a eucaristia, eu teria muitos

[41] MATEOS, Juan; BARRETO, Juan. Loco citato, 1999. p. 303.

comentários, explicações... Mas o fato é que, neste momento, sinto que devo silenciar, calar e pedir a você, caríssimo leitor, que também silencie seu coração, peça a luz do Espírito Santo, reze, medite e faça a oração que sentir necessária, pois existem textos que não precisam de explicação alguma, eles falam por si, e este é um deles:

> E Jesus continuou: "Eu sou o pão vivo que desceu do céu. Quem come deste pão viverá para sempre. E o pão que eu vou dar é a minha própria carne, para que o mundo tenha a vida".
>
> As autoridades dos judeus começaram a discutir entre si: "Como pode esse homem dar-nos sua carne para comer?" Jesus respondeu: "Eu garanto a vocês: se vocês não comem a carne do Filho do Homem e não bebem seu sangue não terão a vida em vocês. Quem come minha carne e bebe meu sangue tem a vida eterna, e eu o ressuscitarei no último dia. Porque minha carne é verdadeira comida e meu sangue é verdadeira bebida.
>
> Quem come minha carne e bebe meu sangue vive em mim e eu vivo nele" (6,51-56).

2.9. Quinto sinal: "Sou eu. Não tenham medo"

Dissemos anteriormente, ao iniciarmos esta primeira parte, que alguns autores consideram esse texto, em que Jesus caminha sobre as águas (6,16-21), como um dos sinais, e outros não, por verem na ressurreição o grande sinal. Considero que o Evangelho de João tem inúmeros sinais e explicamos isso logo no início desta parte, de maneira que é indiferente este texto ser considerado como um dos sinais ou não. No fundo, tudo é sinal, ensinamento e Palavra de Deus que quer nos levar a uma conversão e mudança de vida.

A multidão não compreende bem o sinal dos pães e quer fazer dele um rei, o que leva Jesus a retirar-se sozinho para a montanha (6,15). É bonito observar, nos quatro evangelistas, que Jesus retira-se sozinho para rezar, dialogar com o Pai, pois a montanha simboliza o lugar sagrado da presença de Deus. Também deveríamos seguir o exemplo de Jesus e nos "retirarmos para rezar", ouvir o que Deus tem a nos dizer e qual caminho seguir.

Estranho é que os discípulos entram na barca em direção a Cafarnaum e não esperam por Jesus. Estaria acontecendo alguma coisa demais? Sim. A multidão queria fazer de Jesus um rei com poder para lhe dar o pão de cada dia, as ordens, e ela (multidão) seria dócil, súdita. Os discípulos, possivelmente, queriam o poder. Seriam eles os ministros do "rei político", Jesus? Eles também estavam desapontados, queriam ir embora por outro caminho e deixar Jesus. Durante o dia, em plena luz, acontece a multiplicação dos pães. Agora *"já era noite, e Jesus ainda não tinha ido ao encontro deles. Soprava vento forte e o mar estava agitado"* (6,17b-18). A noite, em João, significa as trevas. Estariam os discípulos em trevas? Parece que sim. Na Bíblia, o mar significa os perigos da vida e ele estava agitado. Nesses perigos da vida (mar agitado com ventos fortes), Jesus tem compaixão dos discípulos e vai ao encontro deles, que estão com medo. Medo de que? Penso que seja de comprometer-se com a luz, que é Jesus, deixar o poder e passar a servir a comunidade, pois, em João, a barca significa também a comunidade. Jesus os tranquiliza: "*Sou eu. Não tenham medo*" (6,20). Isso diz que Jesus tem poder sobre o céu, a terra e o mar.

Os discípulos querem ir embora, e a multidão, no dia seguinte, espera por Jesus (6,22). Jesus diz que é o pão vivo e quem não comer sua carne e não beber seu sangue não terá a vida. Na sequência, temos uma reação forte de muitos discípulos: "Esse modo de falar é duro demais. Quem pode continuar ouvindo isso? [...] A partir desse momento, muitos discípulos voltaram atrás, e não andavam mais com Jesus" (6,60.66). Discípulos não eram só os doze, eram também muitos outros seguidores e a comunidade na época de João, muitos deles voltaram atrás e não andaram mais com Jesus, o que leva Jesus a perguntar aos doze e a nós: "Vocês também querem ir embora?" (6,67). Pedro, que nesse evangelho só dá fora, que duvida e não compreende bem o que Jesus quer dizer, isso em oposição ao discípulo amado, que veremos mais adiante, vai acertar desta vez e dizer algo profundo: "A quem iremos, Senhor? Tu tens palavras de vida eterna. Agora nós acreditamos e sabemos que tu és o Santo de Deus" (6,68-69).

3. Jesus é a Luz, o bom pastor que dá a vida e a ressurreição (7,1–12,50)

Estamos iniciando a segunda subdivisão da primeira parte do Evangelho de João. Na primeira subdivisão (2,1–6,71), vimos como Jesus é a água viva e o pão vivo que sacia a humanidade, e agora, partindo da luz, do bom pastor que é Jesus, queremos entender em que consiste a verdadeira vida e a ressurreição (7,1–12,50). Prepare-se para grandes emoções e conhecimentos, começando pela mulher que foi pega em flagrante adultério.

3.1. "Quem não tiver pecado que atire a primeira pedra"

O texto anterior (7,2ss) mostra que Jesus está em Jerusalém e é época da festa das tendas. Lá se dá uma grande discussão entre Jesus e os judeus, os sumos sacerdotes, os fariseus sobre quem é o verdadeiro Messias, que é o escolhido e o enviado de Deus. Após o último dia de festa, cada um retira-se e volta para sua casa.

Esse belíssimo texto (7,53–8,11) gera muitas discussões entre os biblistas se, em sua origem, pertencia ou não ao Evangelho de João. Muitos consideram ser esse texto, por seu estilo, de Lucas.

> É hoje opinião corrente que este relato é inserção posterior. A linguagem em parte não é de João; falta nos manuscritos antigos; alguns manuscritos o colocam depois de Lc 21,38. Contudo, o relato é canônico, ou seja, faz parte do NT inspirado, conserva a recordação de um episódio de Jesus e é uma joia literária e religiosa.[42]

Jesus vai para o Monte das Oliveiras (8,1) – é comum ver Jesus retirar-se à noite para rezar, principalmente em Marcos, Mateus e Lucas. Mas, ao situar em 8,2, o horário que Jesus vol-

[42] BÍBLIA. Português. Bíblia do peregrino. Organização de Luís Alonso Schökel. São Paulo: Paulus, 2002. p. 2.574 (nota de rodapé).

ta ao Templo, surgem algumas dúvidas: a Bíblia Teb coloca "ao clarear o dia"; a Bíblia Ed. Pastoral, "ao amanhecer"; a Bíblia do Peregrino, "pela manhã"; a Bíblia de Jerusalém, "antes do nascer do sol"; Juan Mateos e Juan Barreto, "ao amanhecer"; e Johan Konings, "de madrugada". Afinal, que horário foi?

O *novum testamentum graece* (novo testamento em grego), 27ª edição, de Nestre-Aland, coloca "*Orthrou*", o que pode ser traduzido[43] por "aurora" e até de "manhã cedo", e de difícil precisão se foi antes ou depois do nascer do sol.

Pelo contexto, dá para deduzir que foi na aurora, antes do nascer do sol. Aliás, o nascer do sol é lindo no oriente. Explicaria que só Jesus é a verdadeira luz e que os escribas e fariseus (possivelmente, boa parte do povo em massa) ainda estavam nas trevas do pecado, queriam julgar, condenar, serem juízes, seguir cegamente uma Lei e outros erros mais.

Chegam então os escribas (doutores da Lei) e os fariseus trazendo uma mulher que havia sido pega em adultério (8,1-11) e eles dizem a Jesus: "Mestre, essa mulher foi pega em flagrante cometendo adultério. A Lei de Moisés manda que mulheres desse tipo devem ser apedrejadas. E tu, o que dizes?" (8,4-5).

Na verdade, eles queriam arrumar um motivo para acusar Jesus e armar-lhe uma cilada. Se a resposta de Jesus fosse "sim, podem apedrejar", eles diriam: "não é você que fala em perdoar, ter misericórdia, em dar uma segunda chance, em amar, por que está condenando?" Se Jesus lhes dissesse "não é para apedrejarem", eles responderiam: "então, você está contra

[43] De acordo com GINGRICH, F. Wilbur; DANKER, Frederick W. *Léxico do N.T grego/português*. Tradução de Júlio P. T. Zabatiero. 3. ed. São Paulo: Vida Nova, 1991. p. 148.

a Lei de Moisés, não vem da parte de Deus coisa alguma e é você quem tem de ser condenado". Estavam eles na expectativa de qual seria a resposta de Jesus: se fosse "o sim ou o não", eles teriam motivos para condenar Jesus. Pensavam: "hoje, pegamos Jesus". Porém, antes de você, leitor, ver qual foi a resposta de Jesus, seria bom observar o "saiba mais..." sobre a lei do apedrejamento.

Saiba mais...

A lei do apedrejamento

Antigamente, não era permitido o adultério, nem moça solteira ficar grávida.

E, se um homem violentasse sexualmente uma mulher, ou seja, cometesse um estupro, ele deveria ser apedrejado, e a mulher, nesse caso, não. Pois poderia ter gritado por socorro.

> Se um homem for pego em flagrante deitado com uma mulher casada, ambos serão mortos. Se houver uma jovem virgem prometida a um homem, e um homem a encontra na cidade e se deita com ela, trareis ambos à porta da cidade e os apedrejareis até que morram [...] (Dt 22,22-24).

Nesse caso, houve consentimento dos dois. Por isso, ambos eram apedrejados, que é diferente de um estupro.

Outro caso de apedrejamento acontecia nos casos de blasfêmia, ou seja, falar mal de Deus. "Quem blasfemar contra o nome de Deus deverá morrer: será apedrejado por toda a comunidade" (Lv 24,16).

Também poderia acontecer de o pai ou a mãe denunciar o próprio filho: "'Este nosso filho é rebelde e indócil, não nos obedece, é devasso e beberrão'. E todos os homens da cidade o apedrejarão até que morra" (Dt 21,20-21).

Adultério, mulher grávida antes do casamento e filhos rebeldes eram apedrejados, de acordo com a Lei de Moisés, conforme vimos. Já pensou se tivesse essa lei até hoje? Jesus é aquele que vai acabar com essa lei, ao afirmar: "Quem de vocês não tiver pecado, atire nela a primeira pedra" (8,7).

Ele não a condena. Perdoa seu pecado e diz: "Pode ir, e não peques mais" (8,11).

Jesus não responde, num primeiro momento, sobre apedrejá-la ou não, inclina-se e começa a escrever no chão com o dedo, mas os doutores da Lei (escribas) e os fariseus insistem na pergunta e aí ele se levanta e responde: "Quem de vocês não tiver pecado, atire nela a primeira pedra. E, inclinando-se de novo, continuou a escrever no chão" (8,7-8).

O que será que Jesus escrevia no chão?

Pergunta que não tem resposta. O autor não revela o que foi escrito. Nesse caso, há margem para muitas discussões, hipóteses e deduções. Juan Mateos e Juan Barreto alertam que o verbo escrever, do grego *kategraphen*,

> pode significar "desenhar, escrever, fazer sinais", mas também "pôr uma acusação por escrito". Esse é provavelmente o sentido nesta passagem. Eles, em alta voz, chamam de culpada a mulher; Jesus, sem pronunciar nenhuma palavra, mostra a culpabilidade dos acusadores.[44]

O que penso, analisando o texto e o contexto da época, em que os fariseus e os doutores da Lei consideravam-se "puros", de acordo com a Lei, e os que cometiam pecados e não seguiam a Lei "impuros", é que, por se julgarem "puros", portanto sem pecados, os fariseus e doutores da Lei atirariam sim pedras nela. O que intriga é que, num primeiro momento, Jesus escreve, não sabemos o que, mas eles ainda persistem na pergunta sobre atirar pedras na mulher. Quando Jesus diz que aquele que não tivesse pecado que atirasse a primeira pedra, possivelmente eles já se preparavam para o apedrejamento, por se considerarem sem pecado, de acordo com a Lei, mas inclinando-se de novo, Jesus continuava escrevendo no chão e aí sim, ao ouvirem e "verem" o que Jesus escrevia, em meu entender (e de alguns outros), os pecados dos que ali estavam, ou até mesmo acusações mais sérias que mostravam que eles seguiam uma lei humana e não a verdadeira Lei de Deus, foram se retirando um por um, a começar pelos mais velhos.

"De fato, Deus enviou o seu Filho ao mundo, não para condenar o mundo, e sim para que o mundo seja salvo por meio dele" (3,17). Jesus, ao perceber que os acusadores tinham ido

[44] MATEOS, Juan; BARRETO, Juan. Loco citato, 1999, p. 918.

embora, possivelmente olhou para a pobre mulher humilhada com um olhar de ternura, carinho e acolhimento, e disse: "Eu também não a condeno. Pode ir, e não peques mais" (8,11).

O que dizer desse gesto de misericórdia de Jesus? O que significa: aquele que não tiver pecado que atire a primeira pedra?

3.2. Eu sou a Luz do mundo. Quem me segue não andará nas trevas

Jesus apresenta-se como sendo a Luz do mundo, em oposição a todos aqueles que ainda vivem nas trevas (8,12-20). Já no prólogo ou na abertura do evangelho, temos:

> Nela havia vida, e a vida era a luz dos homens. A luz brilhou nas trevas, e as trevas não a compreenderam. A luz verdadeira que ilumina todo homem estava vindo ao mundo. Estava no mundo, o mundo existiu por ela, e o mundo não a reconheceu (1,4-5.9-10).

Aqui, nesse capítulo (8,12-59), ocorre uma discussão acirrada de Jesus com os fariseus e depois com os judeus. Aliás, essas discussões estão muito presentes nesse evangelho. Os judeus consideram a Lei, Jerusalém e o templo, exatamente o local onde Jesus estava nesse momento, como sendo "luz". Estavam em uma festa das Tendas, tido como festa da luz. Mas eles se consideravam os "únicos e o povo escolhido" para usufruírem da luz e da vida. Agora Jesus joga um balde de água fria neles, ao dizer: "Eu sou a luz do mundo". "Eu sou" lembra o êxodo, quando o povo saiu da escravidão do Egito, rumo à libertação e à terra prometida. Jesus convida todos para o verdadeiro êxodo e a verdadeira libertação; só ele é a luz que veio para iluminar o mundo, não só o povo judeu e sim a toda humanidade. Deus não é exclusivo de ninguém, quer ser luz de todos. Pior, muito pior é o que vem a seguir: "quem me segue não andará nas trevas, mas terá a luz da vida" (8,12). Aqui "o bicho pega", a discussão esquenta. Os fariseus e muitos judeus não seguiam Jesus, seguiam a Lei e as normas do Templo, ou seja, o que eles consideravam como "luz", na verdade, eram "trevas", e dizer que a Lei, o Templo, era símbolo das trevas, levava eles a quererem matar Jesus (8,37), a chamá-lo de "samaritano, endemoninhado" (8,48) e até quererem "apedrejá-lo" (8,59). Jesus dá testemunho que veio do Pai, que não julga e nem condena. Mas eles não querem seguir Jesus e preferem as trevas.

Termina o texto dizendo: "Essas palavras ele as pronunciou junto ao Tesouro, ensinando no templo. Ninguém o deteve, porque não havia chegado sua hora" (8,20). Jesus já havia chamado o templo de "mercado" (2,16); e o substituído ao seu corpo como sendo ele mesmo (2,21). Agora no Tesouro do Templo, onde estavam "o mercado, a exploração" dos pobres e o "deus-dinheiro", Jesus diz que é a Luz do mundo e os que seguem o templo estão nas trevas. Cabe a cada um escolher: "seguir a luz ou as trevas". João gosta muito de usar símbolos que se contradizem. Como explicar o significado de "luz" e "trevas"?

Saiba mais...

Luz e Trevas

No Evangelho de João, a palavra grega *phôs* aparece 23 vezes[45] e está no sentido de *luz*, como elemento que tem a ver com Deus. "Eu sou a luz do mundo." Já no prólogo, encontramos que, no princípio, já havia a Palavra, que era Deus, e "nela havia vida e a vida era a luz dos homens. A luz brilhou nas trevas, e as trevas não a compreenderam" (1,4-5). Já começamos a entender que essa luz não é meramente só oposição às trevas. A luz tem a ver com a vida, ou melhor, opção de vida. Jesus afirma ser a luz do mundo e quem o segue não caminha nas trevas.

> O significado simbólico da luz: felicidade, alegria, salvação, libertação, aplicava-se à obra do Messias, até o ponto de se designar a este de "Luz" [...].[46] A treva designa, na verdade, toda ideologia de qualquer sistema de poder que impede ao homem realizar em si mesmo o projeto criador, a plenitude de vida.[47]

[45] Algumas vezes, ao longo deste livro, vamos colocar quantas vezes uma determinada palavra aparece. Nesse caso, vamos utilizar sempre: MATEOS, Juan; BARRETO Juan. *Vocabulário teológico do Evangelho de São João.* Tradução de Alberto Costa. 2. ed. São Paulo: Paulus, 2005, sem ficar repetindo todas as vezes que essa foi a fonte usada.

[46] MATEOS, Juan; BARRETO, Juan. Loco citato, 1999, p. 383.

[47] Ibidem, p. 51.

A palavra treva, do grego *skotos*, aparece oito vezes e tem a ver com a mentira, a morte e a escuridão, em oposição à luz, que é verdade, é vida e brilha, pois "a vida era a luz dos homens" (1,4).

No fundo, é o ser humano quem escolhe caminhar na luz, que é Jesus, ou viver nas trevas e na mentira. Agora fica mais fácil entender em detalhes o que Jesus diz: "Eu sou a luz do mundo. Quem me segue não andará nas trevas, mas terá a luz da vida" (8,12).

3.3. Sexto sinal: "Eu era cego e agora vejo"

Convidaria você agora a pegar sua Bíblia, ler com atenção o texto da cura do cego de nascença (9,1-41). Procure logo a seguir anotar as palavras que mais aparecem ao longo desse texto. Feito isso, procure contar quantas vezes aparecem as palavras: 1. *cego/cego de nascença;* 2. *enxergar/ver;* 3. *abrir os olhos e* 4. *pecado/pecador/pecar.* Isso não é um exercício de curiosidade, mas João sempre dá destaque e repete palavras que considera importantes para transmitir uma mensagem e um ensinamento específico. Temos várias traduções da Bíblia e é evidente que vai dar diferença entre uma tradução ou outra. Exemplo: ao verem um cego de nascença, os discípulos perguntam a Jesus quem pecou para que ele nascesse cego, ele ou seus pais? Jesus respondeu em Jo 9,3:

1. Bíblia TEB: "Nem ele nem seus pais. Mas é para que as obras de Deus se manifestem nele";

2. Bíblia do Peregrino: "Nem ele pecou nem seus pais; aconteceu para que se revele nele a ação de Deus";

3. Bíblia Edição Pastoral: "Não foi ele que pecou, nem seus pais, mas ele é cego para que nele se manifestem as obras de Deus".

Repare que, em todas as três versões bíblicas, e temos muitas outras, Jesus responde a mesma coisa, que nem o cego nem seus pais pecaram e que vai manifestar nele as obras de Deus. Mas cada versão da Bíblia disse a mesma coisa, só que com algumas palavras diferentes, sendo o sentido sempre o mesmo. Para fazer o exercício sugerido acima, pode-se notar alguma diferença de palavras que se repetem, de uma Bíblia para outra. O importante não é só observar quantas vezes esta ou aquela palavra se repete: o que quis o evangelista dizer? O que está por detrás disso? Compare o que você encontrou com o total de vezes que estas palavras aparecem em três traduções com a nota de rodapé logo abaixo.[48]

[48] Se fizer o exercício corretamente, o resultado será o seguinte: 1. *cego/cego de nascença* – Bíblia Teb: 16 vezes; Bíblia do Peregrino: 14, Bíblia Edição Pastoral: 22; 2. *enxergar/ver* – excluindo os v. 8 e 37, que são meramente "ver" os demais, no sentido de enxergar e ter faculdade da visão - Bíblia Teb: 12 vezes; Bíblia do Peregrino: 12; Bíblia Edição Pastoral: 11; 3. *abrir os olhos* – Bíblia Teb: 6 vezes; Bíblia do Peregrino: 7; Bíblia Edição Pastoral: 7; 4. *pecado/pecador/pecar* – Bíblia Teb: 8 vezes; Bíblia do Peregrino: 9; Bíblia Edição Pastoral: 9.

Esse texto tem grande ligação com o anterior, a questão da luz e das trevas. E, em 9,5, temos: "Enquanto estou no mundo, sou a luz do mundo". Cego é aquele que quer ver, enxergar a luz e deixar a escuridão no sentido de ausência de luz e visão. Esse texto é longo, tem vários ensinamentos e vamos estudá-lo por etapas.

Num primeiro momento, temos um cego de nascença e os discípulos que vão perguntar a Jesus quem pecou, se foi ele ou seus pais para que nascesse cego. Aí temos de voltar lá no Antigo Testamento, quando o livro de Jó ilustra muito bem o tema do sofrimento como "castigo de Deus" pelo pecado da pessoa ou de seus pais e a questão do dogma da retribuição.[49]

> Segundo a concepção corrente no judaísmo, a desgraça era efeito do pecado, que Deus castigava em proporção exata com a gravidade da culpa. [...] A cegueira, portanto, não podia ser castigo de amor, mas só podia ser maldição. Não faltavam opiniões rabínicas segundo as quais a criança podia pecar no seio da mãe, mas era mais frequente pensar que os defeitos corporais congênitos eram devidos às faltas dos pais.[50]

Ainda bem que existiu essa pergunta e uma resposta clara de Jesus: "Nem ele pecou nem seus pais; aconteceu para que se revele nele a ação de Deus" (9,3). Também eles pensavam de maneira errada que quem era rico era abençoado por Deus e quem era pobre era amaldiçoado ou castigado e que uma mulher que

---

[49] Se você desejar saber mais sobre esse tema, leia meu livro: ALBERTIN, Francisco. *Explicando o Antigo Testamento,* obra citada anteriormente, p. 111-117.

[50] MATEOS, Juan; BARRETO, Juan. Loco citato, 1999, p. 424.

não tivesse filho era amaldiçoada por Deus. Jesus mostrou que Deus é pai, amor e vida e não "castiga ou amaldiçoa". Ele quer é que todos tenham vida e vida em plenitude (10,10).

Depois Jesus vai cuspir no chão, fazer barro com a saliva e ungir-lhe os olhos e ainda pede ao cego para lavar-se na piscina de Siloé, que significa "Enviado". Aqui lembra a criação no Gênesis (1–2), especificamente Gn 2,7 é uma nova criação. Em João, os sinais acontecem no "sexto dia" e, mais do que isso, um novo renascimento. "A água que lava e ilumina, e o nome 'Enviado' da piscina deram base à leitura batismal do relato. Se nascer é ver a luz, o renascimento pelo batismo contempla a nova luz."[51] Antigamente, o batismo nas primeiras comunidades era chamado de "iluminação", o que nos mostra que, por trás do sinal da cura de um cego, está a questão de deixar as trevas do pecado para aderir à Luz do mundo, que é Jesus.

A partir de agora, o texto faz toda uma discussão entre os vizinhos e, principalmente, entre os fariseus de todo o processo pelo qual foi possível "abrir os olhos" do cego, que agora enxergava e podia "ver" em plenitude. O que estará por trás das palavras: cego, enxergar, abrir os olhos e por que o texto passa o tempo todo falando de pecado? Primeiro, são os discípulos que perguntam quem pecou para ele ser cego e, depois de curado, são os fariseus que chamam a Jesus de pecador por curar em dia de sábado. Mas estavam divididos em determinar como um pecador poderia fazer esses sinais. Perguntam com insistência sobre a questão de "abrir os olhos" e de como ele, que era cego, agora enxergava, e sobre de onde vinha Jesus. Então, a lição vem de onde menos se espera:

[51] BÍBLIA. Português. Bíblia do peregrino. Organização de Luís Alonso Schökel. São Paulo: Paulus, 2002. p. 2.580.

> Isso é estranho: Vós não sabeis de onde vem, e ele me abriu os olhos. Sabemos que Deus não escuta os pecadores, mas escuta quem é religioso e cumpre sua vontade. Jamais se ouviu dizer que alguém tenha aberto os olhos de um cego de nascença. Se esse não viesse da parte de Deus, nada poderia fazer (9,30-33).

Um argumento precioso e verdadeiro que mostra que os fariseus é que são cegos e não querem enxergar as maravilhas de Deus. Diante disso, sem argumentos, eles o acusaram de ter nascido em pecado e o expulsaram da sinagoga e a todos os que afirmavam que Jesus era o Messias, o Filho de Deus. Isso se deu por volta do ano 85, quando os judeus expulsaram os cristãos de suas sinagogas.

Jesus vem em auxílio dele e de todos os cristãos que sofriam diante dos detentores do poder político e pede que continuem firmes na fé, e aos que Jesus havia aberto os olhos, dizem: "*Creio, Senhor*" (9,38). É a profissão de fé dos primeiros cristãos: "Jesus é o Senhor!"

Observe que esse texto tem muito a ver com o texto da samaritana (4) que, em seu encontro com Jesus, evolui seus conceitos, chama-o de judeu, Senhor, profeta, Messias e, no final, os samaritanos de: "Salvador do mundo". O que era cego e agora enxergava chama-o de: o homem (9,11); profeta (9,17); questiona se os fariseus querem tornar-se discípulos dele (9,27); que ele vem de Deus (9,33); de Senhor (9,36), e, finalmente, faz a profissão de fé: "Creio, Senhor" (9,38). Por ser um texto batismal, no sentido de "iluminação", tem a ver muito com o texto de Nicodemos, do nascer de novo, e com outros, como a questão de Jesus ser a “Luz do mundo e quem o segue não anda nas trevas”.

Para finalizar, alguns fariseus perguntam: “Será que também somos cegos? Jesus respondeu: ‘Se vocês fossem cegos, não teriam nenhum pecado. Mas como vocês dizem: ‘Nós vemos’, o pecado de vocês permanece’” (9,40-41).

Diz o ditado: “o pior cego é aquele que não quer ver”. “A passagem da cegueira à visão simboliza a da incredulidade e da morte à fé e à vida. Nesse sentido, o cego (o único cego *de nascença* mencionado no NT) pode ser considerado o protótipo dos que chegam à fé.”[52]

Já que esse texto começa e termina falando de pecado, que nos alerta para não sermos cegos, mas abrirmos os olhos e enxergarmos as maravilhas de Deus e seguirmos Jesus, o que João entende por pecado?

Saiba mais...

O pecado

Quando se fala em pecado, surgem várias dúvidas sobre o que é ou não é pecado. O Catecismo da Igreja Católica diz:

[52] BÍBLIA. Português. Tradução ecumênica (TEB). São Paulo: Loyola, 1994, p. 2.064 (nota de rodapé “i”).

> O pecado é uma falta contra a razão, a verdade, a consciência reta; é uma falta ao amor verdadeiro, para com Deus e para com o próximo, por causa de um apego perverso a certos bens. Fere a natureza do homem e ofende a solidariedade humana. Foi definido como "uma palavra, um ato ou um desejo contrários à lei eterna".[53]

Em João, o pecado aparece em vários contextos. A palavra vem do grego *hamartia* e aparece 16 vezes. Somando a três vezes "pecar" e quatro vezes "pecador", chegamos a 23 vezes. Tem o "pecado do mundo", "pecado dos dirigentes", "pecado individual e em grupo" e "pecado e pecados". Você pode consultar o verbete *pecado* do livro *Vocabulário teológico do Evangelho de São João*, p. 235-240, para maiores detalhes.

Todavia, uma definição parece resumir que João

> não concebe o pecado como mancha, e sim como atitude do indivíduo: pecar é ser cúmplice da injustiça encarnada no sistema opressor. Quando o indivíduo muda de atitude e se põe em favor do homem, cessa o pecado. [...] O pecado é a oposição ao projeto criador de Deus. Equivale, portanto, a diminuir ou suprimir a vida. [...] O pecado, para os dirigentes judeus, concretiza-se na cumplicidade com a injustiça institucional.[54]

E para você, o que é o pecado?

[53] PECADO. CATECISMO DA IGREJA CATÓLICA. Artigo 8, parágrafo 1.849. São Paulo: Loyola, 1993, p. 495.

[54] MATEOS, Juan; BARRETO, Juan. Loco citato, 1999. p. 863 (primeira parte da definição) e 395 (o restante).

3.4. O bom pastor dá a vida por suas ovelhas

Uma imagem bíblica muito utilizada por pessoas que estão sofrendo, em dificuldades, cansadas e até em desespero é: "O Senhor é o meu pastor. Nada me faltará" (Sl 22,1). E a imagem seguinte é muito sugestiva: "Em verdes pastagens me faz repousar; para fontes tranquilas me conduz, e restaura minhas forças" (Sl 22,2). Diria que esse é o salmo que nosso povo mais reza. Além dos motivos acima, há ainda muitos outros para rezá-lo: expressa alegria, confiança, vitória, conquistas e intimidade com Deus. Algumas pessoas podem ficar em dúvida e dizer que esse salmo, em sua Bíblia, é o 23 e não o 22. Por que essa diferença?

Se você tomar várias traduções de bíblias, verá que os salmos 1 até o 8 e do 148 até 150 são todos iguais nas diversas bíblias. A questão maior encontra-se no salmo 9. Na Bíblia Septuaginta e da Vulgata, continua como no original salmo 9. Todavia, em outras bíblias, devido a várias traduções para as mais diversas línguas, ele foi dividido em dois, como sendo 9 e 10, ficando um a mais. Assim, a partir do salmo 11, observe que, em outras bíblias, está entre parênteses (10). O mesmo se diz do salmo 23, entre parênteses está (22), ou seja, o salmo sobre o bom pastor corresponde de fato ao 22, é salmo 22. O mesmo se diz de um salmo muito lindo e conhecido por muitos, salmo (90), o que está entre parênteses é que é o correto, e não 91. Para maiores detalhes, consulte a nota de rodapé.[55]

---

[55] Bíblias:

Septuaginta e Vulgata	Outras Bíblias
Salmos 1–8	Salmos 1–8 (tudo igual)
Salmo 9	Salmos 9 e 10 (O Sl 9 é dividido em dois)
Salmos 10–112	Salmos 11–113 entre parênteses fica (10–112)
Salmo 113	Salmos 114–115

Não dá para entender esse texto de João se não for comparado com o profeta Ezequiel, capítulo 34. Sugiro, para um maior aproveitamento, que você leia esse texto e também João 10,1-18 e compare semelhanças e diferenças, pois eles estão entrelaçados. Se quiser, leia Jeremias 23,1-4.

Jesus continua discutindo com as autoridades dos judeus, o que é muito comum, e ocupa um longo espaço nesse evangelho: logo após o prólogo, ou o hino de abertura, já aparecem as autoridades (ou dirigentes) dos judeus, discutindo para saberem quem é João Batista (1,19). Eles também discutem com Jesus a partir do episódio do Templo (2,13-22) e este perpassa ao longo de vários capítulos. "As autoridades dos judeus decidiram matar Jesus" (11,53) e depois que Jesus ressuscita, ou melhor, revitaliza Lázaro: "os chefes dos sacerdotes decidiram matar também Lázaro, porque, por causa dele, muitos judeus deixavam seus chefes e acreditavam em Jesus" (12,10-11). Então você já deduz qual será o fim dessa discussão: Jesus será morto, mas ressuscitará: a vida vence a morte, o amor vence o ódio e o bem vence o mal.

Jesus diz: "Eu garanto a vocês: aquele que não entra pela porta no curral das ovelhas, mas sobe por outro lugar, é ladrão e assaltante. Mas aquele que entra pela porta, é o pastor das ovelhas" (10,1-2). Entrar ou não pela porta: eis a questão. Arrombar muro, pular a cerca, entrar por outro lugar escondido era típico de quem estava com segunda intenção, como roubar,

---

Salmos 114–115	Salmo 116
Salmos 116–145	Salmos 117–146 entre um a menos (116–145)
Salmos 146–147	Salmo 147
Salmos 148–150	Salmo 148–150 (igual)

matar, explorar. Mas esse modo de falar de Jesus é incisivo e duro. Quem são esses ladrões e assaltantes?

"A acusação de Jesus significa, portanto, que os que se arrogam ser dirigentes do povo são exploradores (*ladrões*), que usam da violência (*bandidos*) para sujeitar o povo, mantendo-o em estado de miséria."[56] Em poucas palavras: exploram o povo (as ovelhas) para obter lucro, dinheiro, poder, domínio e, pior, utilizam leis que dizem "ser de Moisés ou de Deus". Não há outra alternativa a não ser "expulsar todos do Templo junto com as ovelhas e os bois" (2,15) e substituir o Templo por seu próprio corpo: "Destruam esse Templo, e em três dias eu o levantarei" (2,19); faz-se necessário curar e libertar os diversos cegos, coxos e paralíticos que se encontram perto "da porta das Ovelhas" (cf. 5,2-3). Eles representam todo o povo oprimido, perdido, doente e sem vida.

Isso já havia sido denunciado pelo profeta Ezequiel, quando Deus lhe diz:

> Ai dos pastores de Israel que são pastores de si mesmos! Não é do rebanho que os pastores deveriam cuidar? [...] Vocês não procuram fortalecer as ovelhas fracas, não dão remédio para as que estão doentes, não curam as que se machucaram, não trazem de volta as que se desgarraram e não procuram aquelas que se extraviaram. Pelo contrário, vocês dominam com violência e opressão (Ez 34,2.4).

[56] MATEOS, Juan; BARRETO, Juan. Loco citato, 1999. p. 453.

O pastor é aquele que tem intimidade com as ovelhas e as chama pelo nome e elas conhecem sua voz e não seguem a voz de estranhos. Para um povo que vivia, de modo geral, na zona rural, cuidando das ovelhas, o pastor era uma pessoa muito conhecida. Dizem que as ovelhas, ao longo da noite, ajuntavam-se em um curral ou redil, que é a mesma coisa, e vários pastores pousavam por ali para cuidarem de suas ovelhas. Suponhamos que, num curral, houvesse 700 ovelhas de cinco pastores diferentes dormindo juntas. Um primeiro possui 234, por exemplo; ao seu sinal e ao comando de sua voz, somente e unicamente as 234 ovelhas o seguiam, as outras não. Ficaram ainda 466 ovelhas, e um segundo pastor, que tivesse 102, ao comando de sua voz, estas o seguiam e assim sucessivamente. Fato curioso: as ovelhas conhecem a voz do pastor e não seguem estranhos.

Jesus afirma: "Eu sou a porta. Quem entra por mim, será salvo. Entrará e encontrará pastagem. O ladrão só vem para roubar, matar e destruir" (10,9-10a). O que significa dizer que Jesus é a porta?

Porta é aquela que dá acesso, entrada. E Jesus promete que quem entrar por ela será salvo. "Entrar pela porta que é Jesus é a mesma coisa que 'aproximar-se dele', 'dar-lhe adesão' (6,35), segui-lo ou ater-se a sua mensagem (8,31.51). [...] Esta porta abre-se para a terra da vida, a do amor leal."[57] Pastagem está no sentido de comer, beber, ficar saciado. Só Jesus é a água viva (4,10) e o pão vivo (6,51), quem entra por ele não terá mais fome e nem mais sede (6,35). E, indo um pouco mais além, fica

[57] Ibidem, p. 456.

fácil entender: "Eu vim para que tenham a vida, e tenham em abundância" (10,10b). A partir do capítulo 11, isso fica mais evidente, quando Jesus afirma: "Eu sou a ressurreição e a vida" (11,25).

"Eu sou o bom pastor. O bom pastor dá a vida por suas ovelhas" (10,11). Mais do que uma linda frase aqui está o coração desse texto. O bom pastor dá a vida por suas ovelhas. E, no Evangelho de João, fica claro que ninguém tira a vida de Jesus, mas ele a dá livremente. É necessário conquistar outras ovelhas, alusão à missão de todos os tempos e lugares, "elas ouvirão minha voz, e haverá um só rebanho e um só pastor" (10,16). O mesmo se pode dizer da oração de Jesus: "para que todos sejam um" (17,21). Já em Ezequiel, fica claro que o Senhor mesmo iria procurar as ovelhas perdidas e cuidaria de todas como pastor. "Procurarei aquela que se perder, trarei de volta aquela que se desgarrar, curarei a que se machucar, fortalecerei a que estiver fraca" (Ez 34,16).

A imagem do pastor que cuida das ovelhas, dos bons e maus pastores era muito conhecida em Israel. Mais do que isso, a imagem do rei ou um chefe como pastor do rebanho, que é o povo, também era conhecidíssima. O que fica evidente é que só Jesus é o bom pastor que conhece suas ovelhas pela voz, que dá a vida por elas e por todos nós. "O Senhor é o meu pastor. Nada me faltará" (Sl 22,1). Jesus nos convida a ser hoje bons pastores e boas pastoras, resta sabermos se estamos ou não dispostos a doar nossas vidas...

3.5. Sétimo sinal: "Eu sou a ressurreição e a vida"

Diante de um texto tão lindo, belo, profundo e maravilhoso, a ressurreição de Lázaro (11,1-44) coloca-nos à frente de algo essencial para todo e qualquer ser humano: a questão da vida além da morte. Mais uma vez, convido você a fazer o exercício de contar, em sua Bíblia, quantas vezes aparecem as palavras: *morte, adormecer, sepultura e túmulo*; e quantas vezes aparecem: *ressurreição, vida e despertar*. João insiste muito na repetição de palavras, e aquelas que se contradizem: morte e vida, por exemplo. Compare o que você encontrou com a nota de rodapé.[58]

O texto é misterioso e cheio de significados, típico desse grande evangelista chamado João, que quer mostrar-nos mais um sinal, e que sinal! A vida que vence a morte.

A Bíblia nos diz que: "Jesus amava Marta, a irmã dela e Lázaro" (11,5). As irmãs de Lázaro mandam um recado para Jesus: "Senhor, aquele a quem amas está doente" (11,3). E até os judeus disseram: "Vejam como ele o amava!" (11,36). Além das palavras ligadas à morte e vida, aparecem também o verbo amar e irmãos, irmãs. Tente entender com o coração esse texto que, ao mesmo tempo, antecipa o que vai acontecer na ressurreição de Jesus, pois ele tem poder sobre a morte, e o texto pode então ser lido como posterior à ressurreição de Jesus, visto que João escreveu por volta do ano 95. Nesse caso, é um alerta para

[58] Se fizer o exercício corretamente, excluindo o versículo 12, em que o sentido é literalmente "dormir", palavras relacionadas à *morte, adormecer, sepultura, túmulo* aparecem nas Bíblias TEB: 14 vezes; Edição Pastoral: 15; e Peregrino: 16. Já as palavras como *ressurreição, vida e despertar* nas três traduções: TEB, Edição Pastoral e Peregrino, aparecem 8 vezes em cada uma.

a comunidade que estava sendo perseguida, algumas pessoas estavam doentes e outras morrendo. O importante é acreditar que só Jesus é capaz de vencer a morte e nos dar a vida e que tinha um amor profundo por todas as pessoas, Marta, Maria, Lázaro e muitas outras, pois os primeiros cristãos eram chamados de irmãos, e havia o famoso ditado, referindo-se a eles: "Vede como eles se amam".

Jesus recebe o recado sobre a doença de Lázaro e não vai a Betânia, e só depois de quatro dias, tempo necessário para que, de acordo com a mentalidade judaica da época, estivesse seguramente morto, chegou. Tanto Marta como Maria fazem a mesma pergunta a Jesus: "Senhor, se tivesses estado aqui, o meu irmão não teria morrido" (11,21.32). Tudo leva a crer que os primeiros cristãos conheciam muito bem Marta e Maria que, em Lucas 10,38-42, senta-se aos pés de Jesus para o escutar, estando Marta preocupada com muitos afazeres. Jesus diz: "Marta, Marta! Você se preocupa e anda agitada com muitas coisas; porém, uma só coisa é necessária. Maria escolheu a melhor parte, e esta não lhe será tirada" (Lc 10,41-42). Marta e Maria são modelos de como deve ser o cristão: escutar e agir no sentido de servir. Já que pensar, deduzir, refletir e concluir a partir da Palavra de Deus inspira-nos no caminho do discipulado. Penso que Marta levou a sério o alerta de Jesus e o escutou por diversas vezes, senão não responderia quando Jesus lhe afirma: "'Teu irmão vai ressuscitar'. Marta disse: 'Eu sei que ele vai ressuscitar na ressurreição, no último dia'" (11,23-24). Até aqui, nada de novidade, ainda tem a mentalidade judia. "Não sabia que, para Jesus, o último dia é o de sua própria morte, quando ficar terminada a criação do homem. O homem acabado segundo o projeto de Deus não morre. A vida de Lázaro demonstrará antecipadamente o dom de vida destinado a todo o que crê."[59] Mas a profissão de fé de Marta em Jesus é algo maravilhoso e revela que também ela sentou-se aos pés de Jesus por muito tempo: "Eu acredito que tu és o Messias, o Filho de Deus que devia vir a este mundo" (11,27).

Para mim, os versículos mais lindos de toda a Bíblia, que nos incentivam na fé a sermos cristãos de verdade e até entregarmos a própria vida no seguimento a Jesus, têm a ver com este texto, em que, num ambiente de morte, Jesus afirma com todas as letras: "Eu sou a Ressurreição e a Vida. Aquele que crê em mim, mesmo que morra, viverá. E todo aquele que vive e crê em mim não morrerá jamais. Crês nisto?" (11,25-26).

A pergunta que não quer calar: *"Crês nisto?"* Eu, você, nós, em relação à vida depois da morte, ou seja, a ressurreição, acredito (acreditamos) nisso? Tudo é uma questão de fé. A vida pode ser comparada com uma partida de futebol, onde, num jogo acirrado, numa decisão de campeonato, jogam a vida e a morte. A vida marca o primeiro gol logo no início; todavia, no finalzinho do jogo, a morte empata: 1 a 1; e, só nos acréscimos, finalmente a vida marca outro gol e vence o jogo por 2 a 1.

Jesus ordena: "'Lázaro, vem para fora!' E aquele que tinha estado morto saiu, com os pés e as mãos atadas com as faixas e o rosto envolto num pano. Jesus lhes disse: 'Desatai-o e deixai-o ir!'" (11,43-44).

Antigamente era costume, ao enterrar uma pessoa, atar seus pés e suas mãos com faixas e envolver o rosto com um

---

[59] MATEOS, Juan; BARRETO, Juan. Loco citato, 1999, p. 494.

pano. "A comunidade desata o morto e o deixa andar para a casa do Pai (11,44). Compreendeu a continuidade da vida por meio da morte. [...] Lázaro torna-se assim figura representativa da comunidade, enquanto esta possui a vida definitiva que supera a morte."[60]

Jesus é o primeiro a morrer e vencer a morte com a vida. Na cruz, ele nos dá o "Espírito" e nos comunica a vida definitiva que supera a morte (voltaremos a esse assunto ao falarmos sobre a morte de Jesus).

São Paulo estava certo ao afirmar: "e se Cristo não ressuscitou, vossa fé é ilusória [...] Se depositamos nossa confiança em Cristo somente para esta vida, somos os mais dignos de pena de todos os homens" (1Cor 15,17.19). Se Jesus tivesse vindo ao mundo, feito todos os sinais (milagres) que fez e tivesse morrido e permanecesse morto, tudo realmente estava acabado e a fé seria ilusória. Mas Jesus ressuscitou! A vida vence a morte! Finalizando esse tema, vamos meditar o que significa este ensinamento de Jesus: "Eu sou a Ressurreição e a Vida. Aquele que crê em mim, mesmo que morra, viverá" (11,25).

4. "Amai-vos uns aos outros assim como eu vos amei" (13,1–17,26)

João diz que Jesus nos dá um novo mandamento e nos pede para amar uns aos outros, mas não de qualquer maneira, de modo teórico, platônico ou da boca para fora, mas amar assim como ele

[60] Idem, loco citato, 2005, p. 254 (verbete "ressurreição").

nos amou até o ponto de morrer em uma cruz e entregar sua vida por amor, para nos salvar. Começando esta primeira subdivisão da segunda parte, vamos deparar-nos com um texto lindo, um sinal maravilhoso que é o lava-pés, que, para João, é a verdadeira eucaristia, em que se tem todos os preparativos finais para a Paixão, morte e ressurreição de Jesus.

4.1. "Também vós deveis lavar os pés uns dos outros"

Na Quinta-feira da Semana Santa, celebramos o lava-pés e, em muitas igrejas, se faz a encenação, sendo que patrão lava os pés dos empregados, bispos e padres lavam os pés das pessoas da comunidade, ou então pegam-se mendigos e excluídos, de modo geral, fazendo o mesmo gesto e de muitas outras maneiras. O perigo é fazer desse gesto somente um ritual e uma volta ao passado. É tomar um ensinamento profundo e excepcional de Jesus e transformá-lo em uma mera encenação, em um teatro onde a peça termina e os personagens recebem ou não os aplausos, mas tudo acaba ali. Corremos o risco de transformar o lava-pés em coisa do passado e recordar fatos da época de Jesus. Mas hoje qual é o sentido e o que quer nos ensinar o lava-pés?

Esse texto é surpreendente, pois todos os outros evangelistas colocam nessa ceia, que para eles é pascal, e para João apenas uma mera ceia, a instituição da eucaristia (Mt 26,26-29; Mc 14,22-25; Lc 22,14-20), referência à traição de Judas (Mt 26,20-25; Mc 14,17-21; Lc 22,21-23) e a negação de Pedro antes que o galo cante (Mt 26,33-35; Mc 14,29-31; Lc 22,31-34). João coloca, em 12,1, a semana decisiva: "seis dias antes da páscoa" e agora, em 13,1, "Antes da festa da Páscoa, Jesus sabia que havia chegado sua hora. A hora de passar deste mundo para o Pai". Vale repetir que, em João, a "hora" é exatamente o momento da entrega da própria vida de Jesus na cruz. Quando os outros evangelistas colocam a instituição da eucaristia, a questão do pão e do vinho como o corpo e sangue de Jesus, João coloca o lava-pés, o que parece estranho. Mas não tem nada de estranho, pois, para João, a eucaristia não é um mero ritual ou celebração realizada pelos seguidores de Jesus, e sim que esta deve acontecer no serviço do dia a dia na vida da comunidade.

Como entender o lava-pés? Voltemos um pouco no tempo. Antes de Jesus e em sua época, havia a lei da hospitalidade e quando as pessoas chegavam de viagem pelas estradas cheias de poeiras, muitas delas usavam sandálias e outras andavam descalças, ficavam empoeiradas. Fazia parte da acolhida o oferecer água ou o lavar os pés de quem chegava às casas, sendo um modo de dar as boas-vindas. Jesus mesmo vai a uma refeição na casa de um fariseu chamado Simão e diz: "Quando entrei em sua casa, você não me ofereceu água para lavar os pés. [...] Você não me deu o beijo de saudação. [...] Você não derramou perfume em minha cabeça" (cf. Lc 7,44-46). Fazia parte da hospitalidade e dos costumes lavar os pés ou oferecer água para isso, dar o beijo de saudação e oferecer, se tivesse, algum perfume, pois em quem caminhava muito o odor se alterava, e nada melhor que um perfume para melhorar o ambiente. Ainda hoje, em muitas localidades de ruas não pavimentadas, ou seja, de terra, em algumas regiões do norte do Brasil, tem-se o costume de as pessoas deixarem seus calçados na porta da residência e entrarem descalças para não sujar a casa. Todavia, lavar os pés tinha suas controvérsias, poderia ser no sentido de carinho, de delicadeza e acolhida, ou até de humilhação, pois era pedido até aos escravos judeus que não lavassem os pés dos patrões.

Jesus levanta-se da mesa, tira o manto, pega uma toalha, coloca água em uma bacia e começa a lavar os pés dos discípulos até chegar a vez de Pedro (Simão Pedro), quando se estabelece este diálogo:

> "Senhor, tu vais lavar meus pés?" Jesus respondeu: "Você agora não sabe o que estou fazendo. Ficará sabendo mais tarde". Pedro disse: "Tu não vais lavar meus pés nunca!" Jesus respondeu: "Se eu não o lavar, você não terá parte comigo". Simão Pedro disse: "Senhor, então podes lavar não só meus pés, mas até as mãos e a cabeça" (13,6-9).

O que está por trás da recusa de Pedro em não permitir que Jesus lave seus pés? O texto leva-nos a supor várias hipóteses, e comentadores bíblicos chegam a várias e várias conclusões. Tudo gira em torno do poder e do serviço. Pedro chama Jesus de "Senhor", ele é o mestre, o Filho de Deus. Como permitir que um "Senhor, um mestre", lave os pés de meros súditos e discípulos? Como entender que Deus, com todo o seu "poder", lavasse seus pés? Onde ficam a hierarquia e o poder? Eles são jogados por Jesus no lixo. Na comunidade de iguais, eles desaparecem, pois o importante é o serviço.

> Jesus se despoja do manto, a veste exterior, e se cinge com um pano ou avental, próprio de quem serve. [...] Seu serviço visa, portanto, dar a liberdade e assim criar a igualdade, eliminando toda hierarquia. Na sociedade que ele funda, cada um há de ser livre; são todos senhores, por serem todos servidores; o amor produz a liberdade.[61]

Tirar o manto e colocar "avental", termo esse bem apropriado, usado por Juan Mateos e Juan Barreto para expressar uma Igreja que elimina a hierarquia para se colocar a serviço. Daí a linda expressão: "uma igreja sem manto e de avental"; não sei quem primeiro utilizou tal frase: "Igreja de avental". Se foram eles ou não, isso nos questiona muito e nos leva a pensar...

Qualquer leitor atento ao texto percebe que Pedro está imbuído da questão do poder, da hierarquia e de normas sociais. Era humilhante, humanamente falando, permitir que um "Senhor, mestre, Filho de Deus", lavasse os pés de meros seres humanos. Pior: se estivesse pensando que se permitisse que Jesus lavasse seus pés, ele também deveria lavar os pés dos outros deixando o poder para se colocar a serviço. Estaria Pedro pensando meramente em poder?

Diante da recusa de Pedro: "Tu não vais lavar meus pés nunca!", Jesus responde que se não lavar, Pedro não terá parte com ele.

> "Ter parte" é a terminologia bíblica para falar da herança, que é, no Antigo Testamento, a Terra

[61] Idem, loco citato, 1999, p. 579-580.

> Prometida e, daí, a *salvação* – em termos joaninos, a *vida*. Não é possível comungar da vida do Filho sem aceitar sua lógica do serviço radical.[62]

Logo após quando Pedro pede para lavar não só os pés, mas as mãos e a cabeça, poderia ele pensar em sentido de purificação dos judeus, como rito de ser tornar "puro". Jesus alerta que eles já estão limpos, mas não todos e, no Evangelho de João, cada detalhe pode ter um ensinamento importante. Aqui ele se refere a Judas, e João diz que Jesus sabia quem o iria trair. Observe que João coloca que "*Era noite*", tendo a ver com o poder das trevas e deixar a luz, que é Jesus, e Pedro vai negar Jesus por três vezes antes que o galo cante, que também era noite e tem a ver com as trevas. Jesus tem o controle da situação e entrega a vida livremente.

Afirmamos que nesse texto tudo gira em torno do poder e serviço. Já no Evangelho de Marcos, o primeiro a escrever por volta do ano 68-70, os discípulos discutem pelo caminho "qual deles era o maior" (Mc 9,34), e querem o poder. Até ficam com raiva de Tiago e João por estes quererem sentar na glória, um à direita e outro à esquerda de Jesus. O que leva Jesus a chamá-los e dizer que os reis têm poder, autoridade e desejam ser servidos. "Mas entre vocês não deverá ser assim: quem de vocês quiser ser o primeiro, deverá tornar-se o servo de todos. Porque o Filho do Homem não veio para ser servido. Ele veio para servir e para dar sua vida [...]" (Mc 10,43.44-45).

---

[62] Konings, Johan. Loco citato, 2005, p. 259.

Meditando sobre esse texto, penso que o lava-pés foi uma tentativa dramática de Jesus de, por meio de um sinal, dar um significado, mostrando a importância do servir, da igualdade, de libertar do poder para se colocar a serviço. Mas há coisas que falam por si e que nos levam a meditar qual é seu sentido em nossas vidas. Pense com o coração e medite profundamente nestas palavras de Jesus que podem transformar nossas vidas:

> Pois bem: eu, que sou o Mestre e Senhor, lavei seus pés; por isso vocês devem lavar os pés uns dos outros. Eu lhes dei um exemplo: vocês devem fazer a mesma coisa que eu fiz. Se vocês compreenderam isso, serão felizes se o puserem em prática (13,14-15.17).

4.2. "Eu sou o caminho, a verdade e a vida"

Depois da belíssima lição de humildade, de serviço e da verdadeira eucaristia que acontece no dia a dia na comunidade por meio do novo mandamento do amor, dando continuidade e preparando os discípulos para a "hora" da cruz e de sua ida para o Pai, Jesus diz a eles e a todos nós:

> Não fiqueis perturbados. Crede em Deus e crede em mim. Na casa de meu Pai há muitas moradas; se não, eu vos teria dito, pois vou preparar-vos um lugar. Quando eu for e o tiver preparado, voltarei para levar-vos comigo, para que estejais onde eu estou. E sabeis o caminho para ir aonde eu vou. Diz-lhe Tomé: "Senhor, não sabemos aonde vais. Como poderemos conhecer o caminho?" Diz-lhe Jesus: "Eu sou o caminho, a verdade e a vida: ninguém vai ao Pai se não for por mim" (14,1-6).

É na casa e no lar que se tem a intimidade, liberdade, amor, partilha, comunhão, paz, e após nossa peregrinação por esta vida aqui na terra, somos convidados a viver no verdadeiro lar e na casa do Pai, onde teremos a vida eterna. Esta só será possível se nosso caminho, nossa verdade, for Jesus. Como entender que Jesus é o caminho, a verdade e a vida?

> "Caminho", na Bíblia, significa muitas vezes o modo de proceder, a prática de vida [...]. Com certeza João conhecia o uso do termo "o caminho" para indicar o modo de viver e a comunidade cristã, sinônimo de salvação, como aparece em At 9,2; [...] Então Jo 14,6 deve ser lido numa dimensão comunitária: Jesus é o caminho da verdade e da vida [...].[63]

Caminho é o modo pelo qual caminhamos pela vida, nosso modo de ser e agir. Verdade é aquilo que é e Jesus afirma na oração sacerdotal: "Consagra-os com a verdade: a verdade é a tua palavra" (17,17). "'A verdade' designa, em primeiro lugar, a realidade divina, enquanto se manifesta, e pode ser conhecida pelo homem. O que o homem percebe dela é amor sem limite; este amor é, portanto, a verdade de Deus."[64] Finalmente, a vida está no sentido de plenitude e definitiva, ou seja, supera a morte física: "Eu sou a Ressurreição e a Vida. Aquele que crê em mim, mesmo que morra, viverá" (11,25). Jesus vence a morte, ressuscita e nos comunica a verdadeira vida.

---

[63] Ibidem, p. 272-273.

[64] MATEOS, Juan; BARRETO Juan. Loco citato, 2005. p. 277 (verbete "verdade").

Outro tema muito presente no Evangelho de João é que Jesus e o Pai são um: "Para que eles sejam um, assim como nós somos um" (17,11). Aqui fica claro: Jesus diz a Filipe que quem o vê, vê o Pai, e que ele está no Pai e o Pai nele (cf. 14,6-14).

Jesus diz que vai para o Pai, mas não deixará seus discípulos e suas discípulas, daquela época e de todos os tempos, órfãos. Mas que vai enviar o Espírito Santo ou o Espírito da verdade. Dentre as várias citações referentes a ele, vamos destacar:

> Então, eu pedirei ao Pai, e ele dará a vocês outro Advogado, para que permaneça com vocês para sempre. Ele é o Espírito da Verdade. [...] Mas o Advogado, o Espírito Santo, que o Pai vai enviar em meu nome, ele ensinará a vocês todas as coisas e fará vocês lembrarem tudo o que eu lhes disse (14,16-17.26).
>
> É melhor para vocês que eu vá embora, porque, se eu não for, o Advogado não virá para vocês. Mas se eu for, eu o enviarei (16,7).
>
> Ainda tenho muitas coisas para dizer, mas agora vocês não seriam capazes de suportar. Quando vier o Espírito da Verdade, ele encaminhará vocês para toda a verdade, porque o Espírito não falará em seu próprio nome, mas dirá o que escutou e anunciará para vocês as coisas que vão acontecer. O Espírito da Verdade manifestará minha glória, porque ele vai receber daquilo que é meu, e o interpretará para vocês (16,12-14).

Mas para ficar compreensível o que Jesus quis falar e qual é a missão do Espírito Santo em nossas vidas e na vida da Igreja, vamos esclarecer melhor seu significado.

SAIBA MAIS...

Espírito Santo – Paráclito

Na doutrina católica, é comum chamar a Deus Pai de Criador; Deus Filho, que é Jesus, de Salvador; e Deus Espírito Santo de Santificador. No mistério da Santíssima Trindade, temos um só Deus em três pessoas: Pai, Filho e Espírito Santo.

"Espírito", em grego, é *pneuma* e, em hebraico, *ruah*, que significa "vento", "sopro", "alento". É a força e o princípio vital. Todavia,

> em João, o Espírito Santo possui, além das características comumente denotadas na Bíblia (sopro, dinamismo de Deus que inspira os profetas, fonte de poderes milagrosos etc.), algumas feições específicas. Ele "permanece" em Jesus (1,33) e nos fiéis (14,17). Não é uma inspiração passageira, mas uma realidade permanente. Ele é chamado "paráclito", que significa auxílio, apoio, confortador, ou, no campo judicial, fiador, defensor, advogado...[65]

O Espírito Santo santifica os fiéis, a comunidade e o mundo. No momento da morte na cruz, Jesus nos comunica a vida por meio de seu lado aberto, onde sai água, no sentido de comunicar seu Espírito e seu amor a toda

[65] Konings, Johan. Loco citato, 2005. p. 276.

humanidade. Aqui entra o nascer da água e do Espírito (3,5), ou seja, nosso batismo, mas não basta somente ser batizado, faz-se necessário assumir nossa missão de sacerdote, profeta e rei, no sentido que Jesus nos ensinou: sai também sangue, no sentido de doar a vida por amor até as últimas consequências.

Quando se fala em Espírito da verdade em João, temos de pensar que é aquele que dá vida e é a força que procede de Deus em oposição àquele espírito da mentira, que gera as trevas e a morte.

Que o Espírito Santo nos santifique para que possamos viver de acordo com a Palavra de Deus.

4.3. "Eu sou a videira, e vocês são os ramos"

Um lindo texto, que mostra a importância da comunidade e de permanecer unido a Jesus para produzir frutos, é o da videira e dos ramos. Uns dizem que esse texto é uma alegoria, ou seja: "**1.** Expressão de uma ideia de forma figurada. **2.** Representação de um objeto para dar ideia de outro. **3.** Obra artística que cita uma coisa para sugerir outra".[66] O que realmente condiz com o que Jesus explica, que ele é a verdadeira videira, o Pai é o agricultor, e os fiéis, que são os discípulos e as discípulas de Jesus de todos os tempos e lugares, são os ramos que têm de permanecer unidos ao tronco para dar frutos, é a frase: "Aquele

[66] ALEGORIA. DICIONÁRIO Michaelis. Dicionário escolar língua portuguesa. São Paulo: Melhoramentos, 2002, p. 30.

que permanece em mim, e eu nele, dá muito fruto; pois sem mim, nada podeis fazer" (15,5). Outros sugerem que esse texto é espécie de uma parábola, que significa "pôr lado a lado" e fazer uma comparação.

Afirmamos, no início deste livro, que o Evangelho de João foi escrito em diversas etapas e não de uma só vez. Como o evangelho tem tudo a ver com a realidade da comunidade, seus desafios, sua maneira de ver, acreditar, e baseado no que Jesus ensinou, há estudiosos que dizem que:

> os capítulos 15–17 são um acréscimo que a comunidade do Discípulo Amado achou por bem inserir no grande discurso de despedida de Jesus (capítulos 13 a 17). De fato, é possível perceber que Jo 14,31 continua perfeitamente em 18,1 [...].[67]

A imagem da videira era muito conhecida em Israel. Para quem não sabe, um dos produtos básicos da economia de Israel era o vinho. Não só no sentido econômico era importante a videira, mas principalmente porque representava o povo de Israel. Se você ler todo o texto de Isaías 5,1-7, verá como isso fica evidente: esperava que a vinha produzisse uvas boas, mas ela produziu uvas azedas, a vinha é a casa de Israel e, em relação aos frutos, esperavam-se a justiça e o direito, mas eles produziram a injustiça e o desespero (cf. Is 5,1-7).

Jesus afirma que ele é a verdadeira videira e, em João, cada detalhe é importante. Isso quer dizer que havia uma falsa videira que deveria produzir frutos bons e só produziu "uvas azedas".

[67] BORTOLINI, José. Loco citato, 1994, p. 144.

O Pai é o agricultor, esta vinha vem diretamente de Deus e não de homens. Nós somos os ramos que devem produzir frutos. Nesse caso, tem tudo a ver com o amor fraterno na comunidade, em que todos precisam estar unidos ao tronco Jesus. Mas os frutos revelam-se na verdadeira missão de testemunhar Jesus com nosso jeito de ser e agir. Um ramo que não está unido ao tronco não recebe dele a seiva, a vida, e por isso seca, morre e não produz frutos. Um cristão ou uma cristã que não está unido(a) a Jesus não recebe a seiva, que pode ser comparada com a presença do Espírito Santo em nós, com a graça de Deus em nossas vidas, tendo por fundamento a Palavra de Jesus, que é capaz de nos limpar e purificar, não no sentido da purificação dos judeus, conforme vimos nas bodas de Caná, mas no sentido verdadeiro do lava-pés e outros textos, pois já afirmamos que o Evangelho de João é como uma rede, em que vários fios se entrelaçam, muitos textos têm a ver com outros e vão se unindo até formar um todo.

Jesus pede e insiste que nós devemos permanecer unidos a ele, em suas palavras, em seu amor, em sua alegria para produzirmos muitos frutos no sentido de anunciar a Palavra de Deus e denunciar tudo o que destrói a vida. Essa é a missão de todos os batizados. Hoje, temos comunidades que produzem frutos bons no sentido do amor, da justiça, da partilha e da vida. Há, ainda hoje, infelizmente, algumas pessoas que se dizem "cristãs", mas produzem frutos azedos de injustiças, apegam-se às riquezas, só pensam em si e até alguns "padres" que julgam estar em uma paróquia "melhor", por ela ter mais dinheiro, e alguns outros que se dizem religiosos e religiosas, mas se apegam ao poder e esquecem a lição do lava-pés, em que o mais importante é servir.

Em outros textos, chamamos a atenção do leitor para a repetição de algumas palavras que é um dos recursos que João utiliza para frisar um determinado ensinamento. Se você ler atentamente Jo 15,1-17, verá várias palavras repetidas: fruto(s), ramos, videira, amor e outras. Mas uma palavra nesse texto leva-nos a refletir: o que significa a palavra "permanecer"?

SAIBA MAIS...

Permanecer

Alguns pensam que permanecer é ficar ao lado, estar junto, persistir... Mas, no Evangelho de João, muitas palavras vão além de um mero significado. Nesse texto (15,1-17), vamos encontrar 11 vezes a palavra permanecer:

> *Permanecei* em mim, como eu em vós. Como o ramo não pode dar fruto por si mesmo, se não *permanece* na videira, assim também vós, se não *permanecerdes* em mim. Eu sou a videira e vós os ramos. Aquele que *permanece* em mim e eu nele produz muito fruto; porque, sem mim, nada podeis fazer. Se alguém não *permanece* em mim é lançado fora, como o ramo, e seca; [...] Se *permanecerdes* em mim e minhas palavras *permanecerem* em vós, pedi o que quiserdes e vós o tereis (15,4-7).

> Assim como o Pai me amou também eu vos amei. *Permanecei* em meu amor. Se observais meus mandamentos, *permanecereis* em meu amor, como guardei os mandamentos de meu Pai e *permaneço* em seu amor. [...] e para que vosso fruto *permaneça* (15,9-10.16).

Fica claro que o permanecer, em João, não é só estar ao lado e estar junto, vai muito além. O permanecer tem a ver com a vida em íntima união. Da mesma forma que o ramo que não permanece no tronco não recebe a seiva (vida) e morre, assim também nós devemos permanecer em Jesus, no sentido de união íntima (morada) com ele. Sem o Espírito, que é vida, e sua graça, nada podemos fazer. Mas esse permanecer com Jesus não é só algo íntimo, isolado e pessoal. "Da parte dos fiéis, esse permanecer significava concretamente o continuar na profissão de fé em Jesus e na comunhão do amor fraterno."[68]

Há textos que falam por si e esse de João é de uma simplicidade e, ao mesmo tempo, de uma profundidade que somente com o coração aberto podemos penetrar e meditar sobre seu verdadeiro significado, dispensando comentários.

> Este é meu mandamento: amai-vos uns aos outros como eu vos amei. Ninguém tem maior amor do que aquele que dá a vida por seus amigos. Vós

[68] Konings, Johan. Loco citato, 2005, p. 285.

> sois meus amigos, se praticais o que vos mando. Já não vos chamo servos, porque o servo não sabe o que seu senhor faz; mas vos chamo amigos, porque tudo o que ouvi de meu Pai vos dei a conhecer. Não fostes vós que me escolhestes, mas fui eu que vos escolhi e vos designei para irdes e produzirdes fruto e para que vosso fruto permaneça, a fim de que tudo o que pedirdes ao Pai em meu nome ele vos dê. Isto vos mando: amai-vos uns aos outros (15,12-17).

4.4. "Pai, chegou a hora. Glorifica teu Filho"

O capítulo 17 de João é belíssimo e apresenta Jesus em íntima comunhão e diálogo com o Pai. É chamado de "oração sacerdotal de Jesus" ou só oração e até de discurso de despedida, o que não combina muito com o texto, pois são palavras que brotam do coração, da vida, onde se têm em mente o passado, o presente e o futuro. Se quiser, pegue sua Bíblia, procure um lugar tranquilo, se possível próximo à natureza, e medite essa oração de Jesus.

Há textos que parecem nem ter explicação. Eles, em si, já dizem tudo. Nessa oração, Jesus dirige palavras profundas em relação ao Pai, em 17,1-5, e ao longo de todo esse capítulo. Pede pela comunidade presente (17,6-19) e também pelas comunidades futuras (17,20-23). Depois volta a conversar intimamente com o Pai (17,24-26). No início dessa magnífica oração,

> Jesus ergueu os olhos ao céu e disse: "Pai, chegou a hora. Glorifica teu Filho, para que o Filho glorifique a ti, pois lhe deste poder sobre todos os homens, para

> que ele dê a vida eterna a todos aqueles que lhe deste. Ora a vida eterna é esta: que eles conheçam a ti, o único Deus verdadeiro, e aquele que tu enviastes, Jesus Cristo. Eu te glorifiquei na terra, completei a obra que me deste para fazer. E agora, Pai, glorifica-me junto a ti, com a glória que eu tinha junto de ti antes que o mundo existisse" (17,1-5).

Em cinco versículos, aparece cinco vezes referência à glória. Mas como explicar o que é glória?

SAIBA MAIS...

Glória

Quando se fala em glória, muitas pessoas logo pensam que ela tem relação com o poder em sentido político, é ligada com o dinheiro e com o prestígio. Mas João sempre é João e por trás das palavras há um significado preciso de acordo com sua visão.

Jesus diz: "Pai, chegou a hora. Glorifica teu Filho, para que o Filho glorifique a ti" (17,1). Alguma coisa estranha está para acontecer, pois a glória que Jesus fala está intimamente ligada com a "hora" que, em João, é o momento da entrega e da morte de Jesus na cruz. Será que a glória tem a ver com a cruz? Se assim for, é totalmente contrária ao poder e à glória que muitos pensam: brilho, fama, honra e outros.

A glória que João nos diz é bem diferente:

> A manifestação da glória é a chave de leitura para a oração de Jo 17. A oração expressa a realidade profunda da comunhão entre Jesus e o Pai: a obra que Jesus leva a termo na sua "hora" é a manifestação da glória de Deus. Aquele que se consuma em sua morte, coroada pela ressurreição, mostra a glória, a realidade divina do amor do Pai.[69]

A glória tem a ver com Jesus: "E a Palavra se fez homem e habitou entre nós. E nós contemplamos sua glória: glória do Filho único do Pai, cheio de amor e fidelidade" (1,14), ou seja, com a entrega de sua vida, com o amor, com a cruz, com o momento que ele nos comunica a vida, por meio do Espírito, com a ressurreição e seu modo de ser e viver e até da comunidade, quando esta de fato vivencia o amor em sua plenitude.

Jesus pede pela comunidade presente (17,6-19).

> Pai santo, guarda-os em teu nome, o nome que tu me deste, para que eles sejam um, assim como nós somos um. [...] Não te peço para tirá-los do mundo, mas para guardá-los do Maligno. Eles não pertencem ao mundo, como eu não pertenço ao mundo. Consagra-os com a verdade: a verdade é a tua palavra. Assim como tu me enviaste ao mundo, eu também os envio ao mundo. Em favor

[69] Ibidem, p. 306.

> deles eu me consagro, a fim de que também eles sejam consagrados com a verdade (17,11.15-19).

João fala diversas coisas em relação ao mundo. De acordo com sua visão, o mundo tem alguns significados diferentes:

> Se o mundo odiar vocês, saibam que odiou primeiro a mim. Se vocês fossem do mundo, o mundo amaria o que é dele. Mas o mundo odiará vocês, porque vocês não são do mundo, pois eu escolhi vocês e os tirei do mundo (15,18-19).
>
> Neste mundo vocês terão aflições, mas tenham coragem; eu venci o mundo" (16,33).
>
> Eu sou a luz do mundo. Quem me segue não andará nas trevas, mas terá a luz da vida (8,12).

Mas o que significa "mundo" em João?

Saiba mais...

O mundo

Só de Jesus afirmar que é a luz do mundo e quem o segue não andará nas trevas, já deixa claro que o significado de mundo tem vários sentidos. Faz-se necessário analisar o contexto em que a palavra mundo aparece e qual é seu sentido.

Quando se fala em mundo, vêm à mente a terra e tudo o que nela existe, o universo, a humanidade e até um termo muito utilizado em geografia: globo terrestre. Mas como definir o que é o mundo na linguagem de João? Não é fácil, é um dos termos mais complicados e abrangentes desse evangelho. Não tem como ficar aqui analisando as 78 vezes que a palavra mundo, do grego *kosmos*, aparece em diversos contextos.

Juan Mateos e Juan Barreto, ilustres estudiosos de João, dizem:

> a) Em primeiro lugar, designa a terra, o lugar em que habita a humanidade (6,14;11,27). b) Significa, ademais, as pessoas em geral, sem conotação ética (*todo o mundo*, 12,19;14,27). c) Também a humanidade criada por Deus e necessitada de salvação, que, como tal, é objeto do amor do Pai e da missão do Filho (3,16.17). d) Finalmente, a humanidade/homens (3,19) que resistem à salvação, que rejeitam a luz-vida e, depois da chegada de Jesus, rechaçam o Filho (16,8); este "mundo" em sentido pejorativo identifica-se com a ordem político-religiosa que se opõe a Jesus.[70]

Nesse último sentido, é utilizada uma expressão um pouco diferente por Jesus: "O chefe do mundo" ou "O príncipe deste mundo" (12,31; 14, 30; 16,11), que tem a ver com os detentores do poder que personificam o mal, a violência, ou em dois termos muito utilizados por João: as trevas, a mentira.

[70] MATEOS, Juan; BARRETO, Juan. Loco citato, 1999, p. 96-97.

Após essas considerações, cada leitor poderá ter elementos para analisar em que sentido de "mundo" aparece neste ou naquele versículo.

Jesus afirma que seus discípulos da época e de todos os tempos vivem no mundo e têm de lutar para que nele haja a justiça, o amor, a misericórdia, a mudança de vida. Nada de alienação, de colocar a esperança só em um mundo futuro. A salvação e a vida plena, vida definitiva ou eterna, começam aqui e agora. Jesus só afirma que eles não são "do mundo", no sentido de pertencer a uma ordem política injusta, opressora, que gerava morte, como era o Império Romano.

E aí, será que podemos contribuir para a existência de um mundo novo?

Jesus reza também pelas comunidades futuras:

> Eu não te peço só por estes, mas também por aqueles que vão acreditar em mim por causa da palavra deles, para que todos sejam um, como tu, Pai, estás em mim e eu em ti. E para que também eles estejam em nós, a fim de que o mundo acredite que tu me enviaste (17,20-21).

E, finalmente, uma oração da alma, do mais profundo do ser:

> Pai, aqueles que tu me deste, eu quero que eles estejam comigo onde eu estiver, para que eles contemplem minha glória que tu me deste, pois me amaste antes da criação do mundo.
>
> Pai justo, o mundo não te reconheceu, mas eu te reconheci. Estes também reconheceram que

> tu me enviaste. E eu tornei o teu nome conhecido para eles. E continuarei a torná-lo conhecido, para que o amor com que me amaste esteja neles, e eu mesmo esteja neles (17,24-26).

5. "Tudo está consumado" (18,1–20,31) – paixão, morte e ressurreição de Jesus

Em relação à paixão, no que se refere ao sofrimento, à morte e ressurreição de Jesus, podemos dizer que há muitas semelhanças a fatos e conteúdos presentes em Marcos, Mateus, Lucas e João. Os três primeiros são chamados de sinóticos (evangelhos sinópticos), que vêm do grego *synopsis* e significa um olhar de conjunto, ou seja, são parecidos. Todavia, aqueles que gostam de estudar, observar os detalhes, verão que, mesmo entre Marcos, Mateus e Lucas, há sim muitas semelhanças, mas também muitas diferenças.

Konings afirma que, em relação ao conteúdo:

> João reproduz essencialmente a mesma tradição que os evangelhos sinópticos, mas, guiado por sua própria perspectiva, reinterpreta tudo de modo original. A comparação com a tradição sinóptica serve para perceber melhor o interesse teológico de João.[71]

No que se refere à paixão, morte e ressurreição de Jesus, no Evangelho de João, faremos uma visão geral, situando algumas

[71] Konings, Johan. Loco citato, 2005, p. 316.

diferenças, e não todas, com algumas explicações. Se você quiser aprofundar esses temas e fazer um estudo interessante sobre a paixão, morte e ressurreição de Jesus, leia o livro de minha autoria: "Explicando o Novo Testamento", publicado pela Editora Santuário (Evangelho de Marcos, p. 69-86; Mateus, p. 152-159; e Lucas, p. 210-219). Entre eles, chamados de sinóticos ou "parecidos", há muitas diferenças mesmo seguindo a mesma tradição; o mesmo se pode dizer de João, seguindo no que se refere ao conteúdo a tradição sinótica, há semelhanças, mas também muitas diferenças, pois são evangelhos, ou seja, fruto de vivência, reflexão e oração nas diversas comunidades e em contextos diferentes, em que cada um, a seu modo, procurou dar sua versão, seu ensinamento teológico do que Jesus viveu e falou. Se você quiser aprofundar ainda mais estas diferenças entre os quatro evangelistas, consulte o livro: "Sinopse dos quatro evangelhos", publicado pela Editora Paulus, p. 171-198. Com certeza, esse estudo ajudará você a entender a perspectiva de cada um deles e seus ensinamentos teológicos.

5.1. A paixão e morte de Jesus

No lava-pés, capítulo 13, Jesus já havia falado sobre a traição de Judas e a negação de Pedro e dito também: "Minha alma está agora conturbada. Que direi? Pai, salva-me desta hora? Mas foi precisamente para esta hora que eu vim" (12,27). É o que Mateus (26,36-39); Marcos (14,32-36) e Lucas (22,39-44) falam de Jesus, que se encontra no Getsêmani (Lucas: Monte das Oliveiras), onde sua alma estava triste até a morte e pedia, se possível, para afastar dele o cálice, no sentido de sofrimento, morte de cruz, mas que fosse feita a vontade do Pai e não a dele. João (18,1) fala que Jesus estava no outro lado da torrente do Cedrom, em um jardim. A "hora", ao longo de todo o seu evangelho, tem tudo a ver com a entrega, a doação da própria vida de Jesus na cruz. Em 18,11, fica ainda mais evidente quando Jesus fala: "Deixarei eu de beber o cálice que o Pai me deu?"

Em relação à prisão de Jesus (Mt 26,47-56; Mc 14,43-50; Lc 22,47-53), narram que Judas beijou Jesus e o traiu. Em João (18,2-11) é diferente. Desde o princípio, Jesus já sabia de tudo o que ia acontecer. Quando diz que "Judas reuniu o batalhão e guardas dos sumos sacerdotes e dos fariseus" (18,3).

Vale dizer que:

> o batalhão representa o poder político romano; os guardas, os sumos sacerdotes, poder religioso oficial; e os fariseus, os defensores e intérpretes da Lei. Trata-se de mobilização das forças do "mundo" com toda a sua capacidade repressiva.[72]

Além de todo o aparato de armas, Jesus não se deixa intimidar e é ele mesmo quem pergunta o que eles procuravam, e estes respondem: Jesus de Nazaré; e Jesus, por duas vezes, afirma ser ele, ou seja, Judas não o beija, é Jesus quem se entrega livremente e pede para deixarem os outros discípulos irem embora.

João coloca Jesus diante de Anás (18,12-14.19-24), que interroga Jesus e o manda amarrado para o sumo sacerdote Caifás, seu genro, segundo João.

---

[72] MATEOS, Juan; BARRETO, Juan. Loco citato, 1999, p. 730.

Depois em relação à negação de Pedro, em Mt 26,69-75, Mc 14,66-72, Lc 22,54-62 e também em Jo 18,15-18.25-27, há muitos pontos em comum. João fala que havia outro discípulo com Simão Pedro, que era conhecido do sumo sacerdote. Observe que, em João, várias vezes, Pedro e o discípulo amado ou outro discípulo aparecem juntos, quase como que questionando o jeito de viver e ser de Pedro. No final deste livro, vamos comentar sobre isso. Aqui, penso que esse outro discípulo é como uma "luz", pois era noite, e do lado de fora, onde Pedro estava, havia as trevas, o erro, o pecado, a mentira, e este discípulo quer mostrar o caminho certo, que é o do amor e não o do ódio, lembrando que Pedro havia usado sua espada e ferido o empregado do sumo sacerdote na orelha (18,10). Em João, Jesus pede para Pedro guardar a espada e que ele vai beber do cálice que o Pai lhe deu, e em Mateus: "Guarde a espada na bainha. Pois, todos os que usam a espada, pela espada morrerão" (Mt 26,52). Aqui, um ditado popular é muito sugestivo: "quem com ferro fere, com ferro será ferido", ou seja, quem usa da violência, recebe violência. Além do mais, Jesus sempre mostrou a força do amor para vencer todo e qualquer mal, e agora é Pedro que, sendo discípulo do mestre do amor, quer usar a mesma arma dos inimigos: a espada, o ódio e a violência. O outro discípulo então mostra a missão de Jesus e de todos os seus seguidores de dar a vida por amor, e isso parece que Pedro ainda não havia entendido. Daí acontecem as negações, que são bem parecidas nos evangelistas. Todavia, a terceira negação, em João, tem um detalhe típico: é que um dos servos do sumo sacerdote pergunta: "Não te vi no jardim com ele?" (18,26). O que tem a ver "jardim"? Ele é importantíssimo, no que se refere à mensagem teológica de João, mas será mais bem entendido no momento que estivermos explicando a ressurreição de Jesus.

Após as três negações de Pedro, os quatro evangelistas colocam que "o galo cantou" (Mt 26,74-75; Mc 14,72; Lc 22,61; Jo 18,27). O que tem a ver o canto do galo com as negações de Pedro? Qual o significado desse misterioso galo? Duas explicações: a primeira pode parecer um pouco estranha: "Por cantar à noite, considerava-se o galo como animal diabólico; seu canto é o grito de vitória da treva";[73] a segunda é que "o canto do galo é sinal do amanhecer. Por saber distinguir entre a escuridão e a luz, o galo era símbolo de vigilância e esperteza".[74]

Afinal, o galo significa animal diabólico e grito das trevas ou é símbolo de vigilância e esperteza por saber distinguir entre a escuridão e a luz? Você escolhe o significado que julgar melhor. Penso que a segunda explicação é melhor e, a meu ver, Jesus chamou atenção de Pedro para ficar vigilante e, como ele o negou, agora seria a hora de ficar esperto e aprender com o galo a distinguir entre a escuridão e a verdadeira luz, que é Jesus, chamando-o à conversão, dando chance de mudar de atitude e vida. Mateus (26,75) e Lucas (22,62) dizem que Pedro chorou amargamente e que o canto do galo foi um sinal para ele não ficar nas trevas e acordar para as coisas de Deus e se converter.

---

[73] Ibidem, 1999, p. 750-751. Os autores colocam uma nota de rodapé para explicar melhor seu significado. Entre outros, dizem que os orientais consideravam o galo como potência das trevas porque cantava na escuridão e que, em Jerusalém, era proibida a criação de galos e galinhas, porque podiam ser causa de impureza.

[74] CONFERÊNCIA NACIONAL DOS BISPOS DO BRASIL. Loco citato, 2007, p. 86 (Evangelho segundo João).

João deixará isso claro quando Jesus, depois de ressuscitado, pergunta três vezes se Pedro o amava e este fica triste porque Jesus o pergunta por três vezes. Todavia, agora está disposto a dar a vida por amor, assumir a cruz e seguir a luz, que é Jesus (21,15-19).

Logo após as negações de Pedro, João diz que Caifás pede para levar Jesus a Pilatos, e os sinóticos colocam o inquérito de Jesus diante do sumo sacerdote Caifás (Mt 26,57–27,1; Mc 14,53–15,1; Lc 22,54.63-71). Todavia, no que se refere a Jesus diante de pilatos, esta narrativa é amplamente elaborada de um modo especial por João (18,28-38), comparando com Mt 27,2.11-14, Mc 15,1-5, Lc 23,1-5. Somente João diz entre outras coisas que "eles não entraram no pretório para não se contaminarem e poderem comer a Páscoa" (18,28). Eles são os detentores do poder, os chefes dos sacerdotes e fariseus (18,3.35), não o povo judeu, e isso tem de ficar claro. Eles são aqueles que respondem: "Não nos é permitido condenar ninguém à morte" (18,31), mas, quando Pilatos afirma que Jesus é inocente, são eles, os chefes dos sacerdotes, segundo João, e os guardas que gritam: "Crucifica-o! Crucifica-o!" (19,6). Aí, temos não só uma ironia, mas uma suprema ironia: não querem contaminar-se devido à lei do Puro e do Impuro e são capazes de mandar crucificar e matar um inocente e pedirem que Pilatos solte Barrabás, que era um bandido (18,40). Aqui, Jesus afirma que: "Meu reino não é deste mundo" (18,36) – tema muito comum em João, e já vimos o significado de "mundo" nesse evangelista. Outro tema que aparece é a verdade. Jesus afirma que veio ao mundo para dar testemunho da verdade e quem é da verdade escuta sua voz, e Pilatos vai perguntar: "Que é a verdade?" (18,37-

38). Ao que tudo indica, Pilatos vive nas trevas e na mentira, quer manter o poder a todo custo, a ponto de dizer que Jesus é inocente e sem culpa (19,4) e depois o entrega para ser crucificado e morto (19,16). "'Verdade' deve ser entendida a partir do fundo bíblico (cf. 1,14; 14,6): lealdade, fidelidade, coerência e firmeza no pacto, na amizade, no amor".[75]

Outro detalhe que pode até passar despercebido é que João coloca que era o dia da preparação da Páscoa, perto da sexta hora (19,14), ou seja, ao meio-dia. "A partir do meio-dia são imolados, no Templo, os cordeiros que serão consumidos na ceia, logo à noite. A 'hora sexta' é a hora da matança do 'Cordeiro'."[76] E, logo no início desse evangelho, João Batista apresenta Jesus como "o cordeiro de Deus que tira o pecado do mundo" (1,29.36). Jesus é a verdadeira Páscoa da nova aliança, o único e legítimo cordeiro que derrama seu sangue, dá sua vida para nos perdoar, salvar, garantir a vitória da vida sobre a morte. Em Isaías, temos: "Foi oprimido e humilhado, mas não abriu a boca; tal como cordeiro, ele foi levado para o matadouro [...], ele carregou os pecados de muitos e intercedeu pelos pecadores" (Is 53,7.12). Os animais que se sentem ameaçados de morte utilizam suas armas para preservar a vida, o que é muito natural. Dizem que só o cordeiro, quando sente que vai morrer, não age com violência, é manso e saem lágrimas de seus olhos. Por isso que Jesus é comparado a um cordeiro.

A questão da autoridade de Pilatos, em que este diz, com arrogância, que tem o poder em suas mãos para libertar ou mandar cru-

[75] Konings, Johan. Loco citato, 2005, p. 330.

[76] Ibidem, p. 333.

cificar Jesus, recebe, pois, como resposta: "Não terias poder algum sobre mim se não te houvesse sido dado do alto" (19,11). O poder e a autoridade de decidir correspondem à palavra grega, "*exousia*, portanto, em 10,18 e 19,11, implica o livre-arbítrio, a liberdade de ação que Deus concede ao homem. Assim, Jesus usa de sua liberdade para dar a vida (10,18), e Pilatos para dar a morte (19,11)".[77]

João coloca que Pilatos redigiu também um letreiro e o fez colocar sobre a cruz; nele estava escrito: "Jesus Nazareno, o rei dos judeus". Estava escrito em hebraico, latim e grego. E os chefes dos sacerdotes dos judeus, não o povo judeu, mais uma vez repetindo, dizem: "Não escrevas: 'O rei dos judeus', mas: 'Este homem disse: eu sou o rei dos judeus'. Pilatos respondeu: o que escrevi, escrevi" (cf. 19,19-22).

"Jesus Nazareno, o rei dos judeus." "A denominação *Nazôraios* relaciona-se com o hebraico *Neser*, rebento (Is 11,1: o rebento de Davi), associado com *semah*, germe, que também se aplica ao descendente de Davi."[78] Isso quer dizer que Jesus é o ungido, o Messias, o rei dos Judeus. Isso é escrito e assim fica por Pilatos, em hebraico, a língua dos judeus; grego, a língua dos gentios e na época a mais falada; e latim, a língua dos detentores do poder que eram os romanos.

Um texto lindo e exclusivo de João é:

> Perto da cruz de Jesus, permaneciam de pé sua mãe, a irmã de sua mãe, Maria, mulher de Cléofas, e Maria Madalena. Jesus, então, vendo

[77] MATEOS, Juan; BARRETO, Juan. Loco citato, 1999, p. 780.

[78] Ibidem, p. 727.

> sua mãe e, perto dela, o discípulo a quem amava, disse à sua mãe: "Mulher, eis teu filho!" Depois disse ao discípulo: "Eis tua mãe!" E, a partir dessa hora, o discípulo a recebeu em sua casa (19,25-27).

Maria, a mãe de Jesus, desde o início dos sinais em João (2,1-11), é a mulher que, sendo mãe da comunidade da antiga aliança, está aberta aos ensinamentos de Jesus e se mantém fiel até a cruz. Em relação a João, dizer que perto da cruz permaneciam de pé sua mãe, a irmã de sua mãe e o discípulo amado é algo extraordinário desse escritor, pois "com este jogo de personagens, Jo afirma que a nova comunidade (Maria Madalena) é irmã da antiga (a mãe de Jesus). Existe pois relação de parentesco, de fraternidade, entre o povo antigo e fiel e a nova comunidade, que é a esposa de Jesus. [...] A antiga comunidade judaica (a mãe) deve reconhecer como descendência sua comunidade nova, a dos que romperam com a instituição judaica, aceitam o amor de Jesus [...]"[79] e todo o seu ensinamento e sua lição até a cruz representada pelo discípulo amado. São como que mãe e filho. A nova casa é a comunidade cristã.

Jesus, sabendo que havia concluído a obra do Pai, diz: "'Tudo está consumado'; e, inclinando a cabeça, entregou o espírito" (19,30). Já fizemos um estudo em detalhes sobre o Espírito. Aqui, "o Espírito que Jesus entrega é o fundamento da nova aliança; ele realiza o reino universal e constitui o novo povo. [...] Na entrega do Espírito unem-se assim os dois temas: o da criação e o da aliança-Páscoa".[80] O Espírito tem tudo a ver

[79] Ibidem, p. 806-807.

[80] Ibidem, p. 814.

com o amor leal de Jesus e com a nova criação, a nova vida no amor em Jesus.

Vendo Jesus já morto, "um dos soldados traspassou-lhe o lado com a lança e imediatamente saiu sangue e água. Aquele que viu dá testemunho e seu testemunho é verdadeiro; e ele sabe que diz a verdade, para que também vós creais" (19,34-35).

João é o único a dizer que um dos soldados ao traspassar a lança no lado de Jesus, esta fez saírem sangue e água. "O sangue simbolizava a morte, expressão do amor até ao extremo; a água, a vida (Espírito) que deriva dela: são o amor demonstrado e o amor comunicado."[81] Muitos entendem aqui o sacramento da eucaristia e do batismo, mas como compromissos de amor, serviço e doação da vida até o fim ou às últimas consequências, como Jesus em sua vida nos ensinou.

Em relação ao sepultamento de Jesus (Mt 27,57-61; Mc 15,42-47; Lc 23,50-56; Jo 19,38-42), João coloca que José de Arimateia, juntamente com Nicodemos, vão sepultar Jesus em um jardim. Um tem medo dos dirigentes judeus e o outro, Nicodemos, é aquele que procura Jesus à noite, ainda está em trevas por seguir a Lei e não é colocado como discípulo de Jesus. Todavia, prestam um trabalho importante ao sepultarem o corpo de Jesus em um jardim, num sepulcro novo, onde ninguém havia sido posto. Mais uma vez o "jardim". E agora vamos passar da morte para a vida, pois Jesus ressuscitou três dias depois e, finalmente, vamos entender o significado do Jardim.

---

[81] Ibidem, p. 816.

5.2. A ressurreição de Jesus: a vida vence a morte

João diz que "no primeiro dia da semana Maria Madalena vai ao sepulcro, de madrugada, quando ainda estava escuro e, vê que a pedra fora retirada do sepulcro" (20,1); isso de acordo com a tradução da Bíblia de Jerusalém. A Bíblia TEB diz que foi "ao alvorecer, enquanto ainda estava meio escuro"; a Bíblia do Peregrino: "muito cedo, ainda às escuras"; e a Bíblia Edição Pastoral: "bem de madrugada, quando ainda estava escuro". A palavra grega *prôi* pode ser traduzida como cedo, cedo de manhã, de madrugada. Tudo indica que fora logo após o cantar do galo, ou muito cedo, ainda às escuras. A noite era dividida em anoitecer, à meia-noite, ao cantar do galo, ou cedo, no sentido de ainda às escuras e pouca luz, pois tem referência à noite e não ao dia, ou, no mínimo, no limite entre a noite e o dia. Isso não é só uma informação ou detalhe, já deixamos claro que João pensa cada palavra, cada detalhe, e sempre há um significado por trás.

Penso que enquanto os discípulos dormem, ou estão trancados em um determinado local por medo das autoridades dos judeus (20,19), Maria Madalena sequer consegue dormir e sem medo vai ainda às escuras ao local, onde Jesus havia sido sepultado, que era um jardim. Todavia, ainda reinava um pouco de trevas em sua mente, pois foi procurar Jesus, no sepulcro, morto, mas volta correndo, e não andando, para dar a notícia a Simão Pedro e ao discípulo amado: "Tiraram do túmulo o Senhor, e não sabemos onde o colocaram" (20,2).

Aparece aqui algo típico somente em João. Pedro e o outro discípulo (amado) correm ao sepulcro (20,3-10). Este chega primeiro, mas não entra, e espera por Pedro, que vinha correndo atrás. Já aparece alguma coisa de organização das comunidades cristãs e certo respeito das comunidades joaninas em relação à posição de Pedro. Este vê os panos de linho estendidos no chão e o sudário, que não estava com os panos e sim enrolado num lugar à parte. Todavia, o discípulo amado "viu e acreditou". Esse texto tem muito a ver com a morte de Lázaro (11,17-44), em que Marta, Maria e outros não conseguem ver a vida nova além da morte. Quando João diz que os panos estavam estendidos no chão e o sudário enrolado num lugar à parte quer dizer que tudo aquilo que representa a morte foi organizado e vencido por Jesus, e colocado em ordem à nova criação. Como o Evangelho de João fala muito de sinais, simplesmente por esse sinal, o discípulo amado "viu e acreditou" que a vida venceu a morte e que Jesus estava vivo.

Todavia, algo impressionante e divino acontece logo depois (20,11-18). Maria ainda chora e representa as comunidades que estão tristes ou desanimadas com a morte de Jesus. Pensa que aquele que lhe dirige a palavra é o jardineiro e, em sua mente, ainda tudo era morte. Então, Jesus a chama pelo nome:

> "Maria". Ela virou-se e exclamou em hebraico: "Rabuni!" (que quer dizer: Mestre). Jesus disse: "Não me segure, porque ainda não voltei para o Pai. Mas vai dizer a meus irmãos: 'Subo para junto de meu Pai, que é Pai de vocês, de meu Deus, que é o Deus de vocês". Então Maria Madalena foi e anunciou aos discípulos: "Eu vi o Senhor". E contou o que Jesus tinha dito (20,16-18).

Jesus, depois de ressuscitado, apareceu em primeiro lugar a Maria Madalena. O que dizer sobre isso? Tantas e tantas coisas já foram ditas, debatidas, concluídas e vários autores que escrevem sobre esse fato dão suas versões. Penso que chegou a hora de encarar a verdade, parar de ficar na escuridão e acabar de vez com o estigma de que Maria Madalena foi "prostituta". MARIA MADALENA FOI ESCOLHIDA POR JESUS RESSUSCITADO, A DISCÍPULA POR EXCELÊNCIA DO AMOR; FOI A PRIMEIRA A VER E ANUNCIAR AOS OUTROS DISCÍPULOS: JESUS RESSUSCITOU! Por que Jesus não apareceu primeiro a Pedro ou ao outro discípulo amado? Se, no Evangelho de João, os discípulos e as discípulas serão conhecidos como tal se viverem no amor, Maria Madalena foi aquela que muito amou, que estava presente em todas as horas na vida de Jesus, inclusive na cruz (19,25), no sepulcro (20,1), e agora como a discípula digna de ser a mensageira da grande boa-nova: Jesus está vivo e ressuscitado! (20,14-18; Mt 28,1-10; Mc 16,9-11; Lc 24,1-11). É a testemunha fiel e representa a comunidade cristã que, a exemplo de Jesus, deve entregar a vida por amor e assumir até às últimas consequências o que Jesus viveu e ensinou. Por que alguns ainda têm dificuldades em VER e admitir que uma mulher possa ser modelo de discípula no seguimento de Jesus? Será que a Igreja de hoje valoriza e reconhece o discipulado das mulheres? O amor de Maria Madalena nos ensina alguma coisa hoje?

Quando se fala em o primeiro dia da semana, que é o domingo, ele se relaciona com o sexto dia, quando tudo foi consumado.

> Terminada a criação (19,30) e preparada a Páscoa (19,31-42), começa sem interrupção o novo ciclo: o da criação nova e da Páscoa definitiva. João prescinde do dado cronológico exato, para frisar que o tempo messiânico segue imediatamente à morte de Jesus. "O último dia", que alvoreceu na cruz, vem apresentado agora como "o primeiro dia", que abre o novo tempo.[82]

Vale recordar que no Evangelho de João tudo acontece em duas semanas com destaque ao sexto dia, o da criação. Assim, o princípio dos sinais (2,1) acontece no sexto dia, o casamento e a união de Deus com seu povo. Jesus é o noivo, e a humanidade, a noiva. E, nesse dia simbólico, Jesus realiza muitos outros sinais, conforme já colocamos. Em 12,1, diz que faltavam seis dias para a Páscoa, e a morte de Jesus acontece no sexto dia (19,31). De propósito, João não dá destaque ao sétimo dia, que era o sábado, dia sagrado para os judeus. Aliás, João não vê, com bons olhos, muitas coisas que os judeus valorizavam: o Templo, a Lei, no sentido de ser "cega" e não enxergar a novidade de Jesus, até mesmo o sábado e a festa da Páscoa. Assim, Jesus morre no sexto dia, lembrando o dia da criação, e imediatamente passa ao primeiro a nova criação; o último dia leva ao primeiro, quando começa o tempo messiânico.

Mas algo ainda nos impressiona nessa passagem entre Jesus ressuscitado e Maria Madalena. Como explicar que ela o confunde com um jardineiro (20,15)? Chegou a hora tão esperada. Afinal, por que João fala tanto em jardim? Qual é seu significado?

[82] Ibidem, p. 836.

Saiba mais...

O jardim

A narrativa da paixão, morte e ressurreição de Jesus, inicia-se falando de um jardim (18,1), onde Jesus entra com seus discípulos e ali tudo começa. Depois, um dos empregados do sumo sacerdote pergunta a Pedro se ele não era um dos que estavam com Jesus no jardim (18,26). "No lugar onde fora crucificado havia um jardim e nele um sepulcro novo, no qual ninguém havia sido sepultado" (19,41) e vimos que, na ressurreição, Maria Madalena confunde Jesus com o jardineiro (20,15). O jardim é o elo entre a paixão, morte e ressurreição de Jesus.

"Jardim" vem da palavra grega *kêpos*, que pode significar também horto. Essa palavra traduz o hebraico *gan, gannah,* e significa, em hebraico, entre outras coisas, o Paraíso (em grego *paradeisos*), que era o jardim criado por Deus, onde viviam Adão e Eva, o primeiro casal (Gn 2,8–3,24). Não vamos entrar em detalhes aqui sobre o Paraíso no livro do Gênesis, mas dizer que João mostra que, com Jesus, inicia-se uma nova criação, que Jesus é a verdadeira e única Páscoa, que é passagem da morte para a vida e a vida vence a morte. Então, é importantíssimo esse Jardim, que se torna o elo entre paixão, morte e ressurreição. No novo Paraíso, não tem mais morte e sim uma nova vida, e só com a ressurreição de Jesus, em que a vida vence a morte, pode iniciar a nova criação, a nova Páscoa, a nova e eterna aliança. O sepulcro novo, onde Jesus é sepultado e vence a morte, vai ser depois o lugar onde os discípulos e discípulas de Jesus, que viverem no amor, serão simbolicamente sepultados; o "jardim" será o lugar da alegria, das flores e, principalmente, da vida definitiva que não tem mais fim, ou vida eterna, mas vida que começa aqui e tem sua plenitude na eternidade.

Ao anoitecer do primeiro dia (domingo da ressurreição), os discípulos estavam com as portas fechadas por medo das autoridades dos judeus, e Jesus vai aparecer a eles (20,19-29). As primeiras palavras de Jesus a seus discípulos depois de ressuscitado são: "A paz esteja com vocês (ou A paz esteja convosco!)" (20,19), e dizendo isso, mostrou-lhes as mãos e o lado. O ressuscitado é o mesmo que foi crucificado e morto. A grande e maior mensagem se resume na PAZ, que vem do hebraico (*shalôm)* e significa o bem-estar completo, no sentido coletivo, a felicidade plena, o direito, a justiça e tudo de bom que constrói a vida. Depois, vai soprar sobre eles dizendo: "Recebam o Espírito Santo. Os pecados daqueles que vocês perdoarem, serão perdoados. Os pecados daqueles que vocês não perdoarem, não serão perdoados" (20,22-23). O Espírito Santo é a vida nova comunicada por Jesus e lembra, claro, a criação do homem, quando se teve o sopro de vida de Deus (Gn 2,7). João "não concebe o pecado como mancha, e sim como atitude do indivíduo: pecar é ser cúmplice da injustiça encarnada no sistema opressor. Quando o indivíduo muda de atitude e se põe em favor do homem, cessa o pecado".[83]

Ocorre que, quando Jesus aparece aos discípulos, Tomé não estava com eles. Eles, que significam a comunidade cristã, vão testemunhar: "Vimos o Senhor" (20,25), mas Tomé não acredita no anúncio da comunidade e diz:

> "Se eu não vir a marca dos pregos nas mãos de Jesus, se eu não colocar meu dedo na marca dos pregos, e se eu não colocar minha mão no lado dele, eu não acreditarei".
>
> Oito dias depois, os discípulos estavam reunidos de novo. Dessa vez, Tomé estava com eles. Estando fechadas as portas, Jesus entrou. Ficou no meio deles e disse: "A paz esteja com vocês". Depois disse a Tomé: "Estenda aqui seu dedo e veja minhas mãos. Estenda sua mão e toque meu lado. Não seja incrédulo, mas tenha fé". Tomé respondeu a Jesus: "Meu Senhor e meu Deus!" Jesus disse: "Você acreditou porque viu? Felizes os que acreditaram sem ter visto" (20,25-29).

Oito dias depois é o dia para além do sétimo que, conforme vimos, João procura não citar, o sábado. E desse oitavo dia, já falamos. É o dia da vida plena, definitiva, vida eterna, que começa aqui. Importantíssimo nesse oitavo dia, que na verdade é o primeiro dia: domingo, o da ressurreição de Jesus e da primeira e agora segunda aparição aos discípulos, é a celebração eucarística, ou seja,

[83] Ibidem, p. 863.

o que chamamos de missa hoje. Era nesse dia que os cristãos faziam a memória da ceia do Senhor, que depois ficou conhecida como "fração do pão" e finalmente como missa. Jesus se revela em comunidade e não para Tomé, que está separado num primeiro momento, pois a separação pode levar à incredulidade. Mas, ao ver ou fazer a experiência de Jesus ressuscitado, Tomé afirma: "Meu Senhor e meu Deus!", e aí Jesus nos ensina algo extraordinário: "Felizes os que acreditaram sem ter visto". Felizes e bem-aventurados são a mesma coisa. O importante é saber que muitos vão acreditar ou acreditaram sem ter visto. Assim, "o evangelho fica aberto para o futuro: *Bem-aventurados os que, sem terem visto, chegam a crer.* Crerão em virtude da mensagem dos discípulos, que continuarão manifestando no meio do mundo o amor de Jesus".[84]

Qual é minha (nossa) experiência de Jesus ressuscitado? Como procuro manifestar minha fé na ressurreição de modo concreto, onde vivo? Acredito de fato na ressurreição e na vida nova?

6. Epílogo: capítulo final (21)

Não é novidade para ninguém que conhece um pouco de escrito bíblico deduzir que o Evangelho de São João acaba no capítulo 20. Pelo menos num primeiro momento, quando se teve uma redação final:

> Jesus realizou diante dos discípulos muitos outros sinais que não estão escritos neste livro.

[84] Ibidem, p. 873.

> Esses sinais foram escritos para que vocês acreditem que Jesus é o Messias, o Filho de Deus. E para que, acreditando, vocês tenham a vida em seu nome (20,30-31).

Todavia, há um acréscimo posterior feito pela própria comunidade, ou por alguém da escola joanina que quis relatar a presença de Jesus ressuscitado no meio da comunidade e a importância da missão. Quem ler esse Evangelho até o capítulo 20 também não vai entender muito o que aconteceu com o discípulo amado e vai ficar com a ideia de um Pedro desorientado, confuso e que não tinha entendido muito bem a mensagem de Jesus. Estamos falando unicamente do Evangelho de João. Para os outros sinóticos (Mateus, Marcos e Lucas), Pedro tem uma missão bem definida. No capítulo final (21), alguém se preocupou em dar uma mensagem importantíssima às comunidades cristãs joaninas da época e finalmente resolver o mal entendido referente ao Discípulo Amado e a Pedro, que ocupam um papel de destaque:

> Seu intuito é provavelmente eclesial: trata da relação da comunidade do Discípulo Amado, autor do evangelho, com a Igreja no conjunto, liderada por Pedro. Mas também a questão da morte do Discípulo Amado e da parusia é importante.[85]

O que tem de ficar claro é que esse capítulo 21, desde o século II, já constava do que chamamos de Evangelho de João.

[85] Konings, Johan. Loco citato, 2005. p. 367.

6.1. A comunidade aberta para a missão

Esse capítulo 21 diz que Jesus apareceu novamente aos discípulos na margem do mar de Tiberíades, e se contarmos Simão Pedro, Tomé, Natanael, João e Tiago (filhos de Zebedeu) e outros dois discípulos – não vamos entrar em detalhes, pois não sabemos com precisão quem são eles; possivelmente, André e Filipe (?), outros colocam André e o Discípulo Amado (?) – chegaremos a 7 (sete), que é o número bíblico perfeito, da totalidade.

Mas, o fato de o autor colocar mar de Tiberíades e não mar da Galileia (cf. 6,1), parece sugerir a missão entre os gentios. Tiberíades fora construída em homenagem ao Imperador Tibério e era a recém capital da Galileia na época. Aí o número sete pode estar relacionado aos povos pagãos, setenta povos. Lucas fala da missão dos setenta discípulos (Lc 10,1-17). João evita também falar dos 12 discípulos, pois 12 lembrava as 12 tribos e o povo judeu, e Jesus veio para salvar a todos os povos, não só um povo.

Quando Simão Pedro diz: "Eu vou pescar", e os outros: "Nós também vamos" (21,3), ele lembra o chamado dos primeiros discípulos em Mc 1,16-20; Mt 4,18-22; Lc 5,1-11. Aqui, há o chamado para o seguimento, e Jesus diz que eles seriam "pescadores de homens" (Mc 1,17; Mt 4,19 e Lc 5,10), no sentido de missão, de ir anunciar ao mundo o amor de Jesus. Esse texto (21,1-14), dentre outras coisas, mostra a comunidade já em missão. Todavia, não estão pescando nada, mesmo sendo à noite; e quem é pescador sabe que à noite é o melhor horário para pescar, bem como ao amanhecer, bem cedo.

Jesus pergunta se eles têm alguma coisa para comer e eles respondem que não. Pede-lhes para lançar a rede à direita e o discípulo amado diz a Pedro: "É o Senhor" (21,7). O discípulo amado é quem "pesca" tudo ou quem sabe de tudo. Pedro, que está nu, veste a roupa e pula na água do mar. Na época, por não existirem roupas íntimas, nem masculinas nem femininas, ao retirar-se a veste, ficava-se completamente nu. Hoje, se quisermos nadar ou tomar banho, faz-se necessário tirar a roupa e não pôr a roupa. Aqui, há vários simbolismos: o mais forte é a questão do batismo, em que se tiravam as roupas e mergulhava-se nas águas, o que Jesus chama de renascer para as coisas do alto e passar a ter uma vida nova. Mar simboliza na Bíblia as forças do mal, e Pedro está disposto finalmente a entregar e doar sua vida por causa de Jesus. Pode lembrar e aí há um paralelo entre o lava-pés, em que Jesus tira o manto e pega uma toalha e a coloca na cintura para lavar os pés dos discípulos, e Pedro nada entende, mas Jesus alerta-o que mais tarde entenderá (13,7). Teria ele aprendido de vez que o importante é servir e, se necessário, até entregar a vida por amor e livremente? Ou também permanecer unido a Jesus para produzir frutos, pois sem ele nada podemos produzir (15,1ss)? Seja como for, o fato é que pescaram 153 grandes peixes e a rede não se rompeu. A Igreja é como uma rede que está aberta a todos os povos e não se rompe, pode pescar à vontade. Mas por que João coloca que foram 153 grandes peixes e não 152, ou 154, ou ainda 100, 200, ou qualquer outro número? Dentre outras explicações,

o texto salienta o resultado da pesca-missão: 153 grandes peixes. O biblista Jerônimo recorda que os zoólogos

> gregos haviam classificado 153 espécies de peixes. [...] as rachaduras entre os seguidores de Jesus não aconteceram por causa do "avental", e sim por causa da luta pelo poder.[86]

Mas a rede estava pesada demais. Assim sendo, fez-se necessário que os outros discípulos arrastassem a rede com os peixes. A missão é de todos e não só de alguns. Ali, fazem uma refeição de peixe e pão, onde simbolicamente, nos 153 grandes peixes que era o total que os zoólogos conheciam, estão presentes todos os povos, nações e tribos. Já não aparece em que dia isso ocorreu, pois a missão não tem dia e nem hora. Seria chover no molhado dizer que aqui temos a eucaristia simbolizada no pão (21,9), onde temos a presença de Jesus que distribui o pão para eles (21,13), o que lembra imediatamente a multiplicação dos pães (6,1-13), e ninguém mais precisava perguntar nada, pois todos sabiam: é o Senhor (21,12).

6.2. "Senhor, tu conheces tudo, e sabes que eu te amo"

Finalmente, será esclarecido de vez que a comunidade joanina reconheceu a importância de Pedro na comunidade cristã, após este entender que seguir Jesus não é ser superior, ter poder, governar e qualquer outra coisa parecida, mas entregar livremente a vida por amor e para servir.

> Depois de comerem, Jesus perguntou a Simão Pedro: "Simão, filho de João, você me ama mais do que

[86] BORTOLINI, José. Loco citato, 1994. p. 200-201.

> estes outros?" Pedro respondeu: "Sim, Senhor, tu sabes que eu te amo". Jesus disse: "Cuide de meus cordeiros". Jesus perguntou de novo a Pedro: "Simão, filho de João, você me ama?" Pedro respondeu: "Sim, Senhor, tu sabes que eu te amo". Jesus disse: "Tome conta de minhas ovelhas". Pela terceira vez perguntou a Pedro: "Simão, filho de João, você me ama?" Então Pedro ficou triste, porque Jesus perguntou três vezes se ele o amava. Disse a Jesus: "Senhor, tu conheces tudo, e sabes que eu te amo". Jesus disse: "Cuide de minhas ovelhas" (21,15-17).

Jesus, depois de ressuscitado, aparece a Tomé, que estava separado da comunidade e corria o sério risco de se perder, e pede para ele colocar o dedo e ver suas mãos, estender a mão e colocar em seu lado. Tomé não precisa colocar o dedo e nem a mão, pois vê Jesus e responde: "Meu Senhor e meu Deus", e Jesus o alerta: "Felizes os que acreditaram sem ter visto" (cf. 20,26-29). Agora é Pedro quem recebe atenção especial para se fortalecer na fé, diria até para ser perdoado, pois carregava em si uma culpa terrível: negar Jesus por três vezes. Mateus 26,75 e Lucas 22,62 colocam que Pedro "chorou amargamente" após o canto do galo, e João não havia colocado nada, e só agora mostra que não é necessário chorar amargamente, mas amar intensamente, e isso é o mais importante. Jesus não pergunta aos outros discípulos se eles o amavam, pois tinha já convicção disso. Apenas dá uma chance a Pedro, diante dos demais, de se corrigir e afirmar seu amor por ele. E Jesus ainda continua perguntando a cada um de nós: "VOCÊ ME AMA?"

Jesus pede, num primeiro momento, para Pedro apascentar, cuidar com carinho, buscar alimento, servir os cordeiros e só depois, nas duas vezes seguintes, cuidar das ovelhas. Impossível não pensar no texto em que Jesus é o pastor e nós as ovelhas e seu rebanho (10,1-18). E que as ovelhas escutam a voz do Pastor, que Jesus é a porta e que dá a vida por suas ovelhas e que tem outras ovelhas que estão fora e devem ser conduzidas para que haja "um só rebanho e um só pastor" (10,16).

Em relação aos cordeiros, *arnia* (em grego), eles estão em referência a *probata*, que são as ovelhas e até com *amnos*, "cordeiro de Deus". Cordeiro é ainda pequeno e indefeso ou indefesa, pode ser comparado a uma criança e só depois de crescer um pouco é que se transforma em uma ovelha adulta. Jesus quis dizer que é necessário cuidar de todo o rebanho, a começar pelos pequenos, pobres, indefesos, e de todos aqueles que necessitam de uma atenção especial para chegar às ovelhas adultas e grandes. A missão é para os pequenos, pobres, ricos e a todas as pessoas. O Cordeiro de Deus, que é Jesus (1,29.36), é o modelo por excelência do Pastor que cuida das ovelhas.

Pedro vê e pergunta a Jesus o que iria acontecer com o discípulo amado, e Jesus responde:

> "Se eu quero que ele viva até que eu venha, o que é que você tem com isso? Quanto a você, siga-me". Então correu a notícia entre os irmãos de que aquele discípulo não iria morrer. Porém Jesus não disse que ele não ia morrer, mas disse: "Se eu quero que ele viva até que eu venha, o que é que você tem com isso?" (21,22-23).

Primeiro, a comunidade dos cristãos era chamada de irmãos, por serem da mesma família de Jesus Cristo e viverem unidos no amor fraterno: "Amai-vos uns aos outros assim como eu vos amei". Em 20,17, Jesus pede para Maria Madalena levar a mensagem "a meus irmãos". Jesus é um de nós, nosso irmão. Jesus já havia dito a Pedro que ele "estenderia as mãos" (21,18), no sentido de levar o travessão da cruz para ser crucificado e, segundo a tradição, Pedro morreu crucificado de cabeça para baixo. Agora Pedro pergunta o que iria acontecer com o discípulo amado. Jesus afirma que não interessa, pois cada um tem uma missão e ninguém pode ficar com ciúmes ou querer saber o futuro dos outros, importa sim cumprir bem a missão, sem ficar comparando com este ou aquele. Todavia, afirma que "Se eu quero que ele viva até que eu venha" (21,22). Muito se discutiu sobre isso: viver até que eu venha seria sobre a parusia,[87] do grego *parousia*, no sentido de presença, vinda. Mas os cristãos esperavam esse momento como a segunda vinda de Jesus, ou vinda gloriosa no final dos tempos, e esperavam que essa vinda fosse breve. Paulo diz: "Eis que declaramos a vocês, baseando-nos na palavra do Senhor: nós, que ainda estaremos vivos por ocasião da vinda do Senhor" (1Ts 4,15). Correu o comentário, ou boato na comunidade joanina, que o discípulo amado, que foi testemunha de tudo o que aconteceu com Jesus, inclusive na cruz, na morte e ressurreição, aquele que viu Jesus ressuscitado, não morreria. Fica evidente pelo texto que esse discípulo, seja quem for, morreu e que a comunidade estava decepcionada e triste. Aí o autor diz: "Jesus não disse que ele não ia morrer, mas disse: 'Se eu quero que ele viva até que eu venha'". Como eles esperavam a vinda de Jesus em breve e isso não aconteceu,

[87] Se você quiser pesquisar e saber mais sobre a parusia, leia meu livro: Albertin, Francisco. *Explicando as cartas de São Paulo*, obra citada anteriormente, p. 44-47.

Paulo foi obrigado a corrigir e dizer: "Agora, irmãos, quanto à vinda de nosso Senhor Jesus Cristo e a nosso encontro com ele, pedimos a vocês o seguinte: não se deixem perturbar tão facilmente! Nem se assustem, como se o Dia do Senhor estivesse para chegar logo" (2Ts 2,1-2). E vai apresentar que ainda não chegou o tempo da apostasia, do homem ímpio ou da perdição (cf. 2Ts 2,1-12). O fim do mundo vai demorar e só Deus sabe o dia e a hora. A comunidade joanina até tentou explicar que Jesus se referia as suas aparições: "Se eu quero que ele viva até que eu venha (depois de ressuscitado)". O fato é que isso também ficou esclarecido: o ideal do amor nunca morre.

E aí temos a segunda conclusão desse evangelho, a primeira foi em 20,30-31.

> Este é o discípulo que deu testemunho dessas coisas e que as escreveu. E nós sabemos que seu testemunho é verdadeiro. Jesus fez ainda muitas outras coisas. Se fossem escritas uma por uma, penso que não caberiam no mundo os livros que seriam escritos (21,24-25).

7. O discípulo amado e a discípula amada

João tem uma maneira especial de narrar, a partir da vivência de sua comunidade, o amor de Jesus que entrega sua vida até a cruz, que morre, ressuscita e dá a todos um novo mandamento: "Eu vos dou um mandamento novo: Amai-vos uns aos outros, como eu vos amei: amai-vos assim uns aos outros. Nisso reconhecerão todos que sois meus discípulos, se tiverdes amor uns pelos outros" (13,34-35). Com isso, ele cria "O Discípulo Amado", que é um pouco misterioso e é ele, ao que tudo indica, "o discípulo que deu testemunho dessas coisas e as escreveu. E nós sabemos que o seu testemunho é verdadeiro" (21,24). Isso era um modo peculiar de alguns que escreviam, o que fica evidente em Marcos, que cria um misterioso, e bota misterioso nisso, jovem nu: "Então todos fugiram, abandonando Jesus. Um jovem, vestido só com um lençol, estava seguindo Jesus, e eles o prenderam. Mas o jovem largou o lençol, e fugiu nu" (Mc 14,50-52). Fugiu para onde? Se você desejar saber em detalhes para onde ele fugiu, terá uma surpresa e tanto. Para isso, leia meu livro: "Explicando o Novo Testamento: os Evangelhos de Marcos, Mateus, Lucas e Atos dos Apóstolos" (p. 78-84).

O Discípulo Amado aparece de modo claro na ceia, onde Jesus vai lavar os pés dos discípulos. "Um dos discípulos, aquele que Jesus amava, achava-se ao lado dele" e é ele quem se inclina sobre o peito de Jesus e pergunta quem seria o traidor, e obtém a resposta (cf. 13,23-26).

Ele também está com Jesus ao pé da cruz:

> Perto da cruz de Jesus, permaneciam de pé sua mãe, a irmã de sua mãe, Maria, mulher de Cléofas, e Maria Madalena. Jesus, então, vendo sua mãe e, perto dela, o discípulo a quem amava, disse a sua mãe: "Mulher, eis teu filho!" Depois disse ao discípulo: "Eis tua mãe!" E a partir dessa hora, o discípulo a recebeu em sua casa (19,25-27).

É ele quem vai ao sepulcro, ao lado de Pedro, chega primeiro, mas espera Pedro e entra depois e consegue entender que Jesus não estava morto e sim ressuscitado: "Ele viu e acreditou" (20,2-10).

É ele quem primeiro reconhece Jesus quando aparece a eles na margem do mar de Tiberíades: "Então o discípulo que Jesus amava disse a Pedro: 'É o Senhor'" (cf. 21,1-8).

É sobre o discípulo amado que Pedro pergunta o que vai acontecer, e Jesus responde: "Se eu quero que ele viva até que eu venha, o que é que você tem com isso?" (cf. 21,20-24).

Tudo indica e há uma possibilidade enorme de "o outro discípulo", que João cita, ser o discípulo amado (18,15-16); e, acima de tudo, aquele que vê e dá testemunho de quando o soldado atravessa o lado de Jesus com a lança e imediatamente sai sangue e água: "E aquele que viu, dá testemunho, e seu testemunho é verdadeiro. E ele sabe que diz a verdade, para que também vocês acreditem" (19,34-35).

João diz que Jesus amava Marta, sua irmã (Maria) e Lázaro. Eles representam as comunidades. Amava Marta, amava Maria, amava Lázaro, o discípulo que Jesus amava (21,7), e também as discípulas que Jesus amava, e isso fica evidente em (11,5), são todos aqueles e aquelas que vivem no amor. Isso sem falar da discípula amada por excelência: Maria Madalena, que estava ao pé da cruz e foi considerada digna de ser testemunha e ver Jesus vivo e ressuscitado por primeiro e levar a notícia aos outros discípulos (cf. 20,1-18).

Penso, e alguns pensam assim também – por se tratarem de escritos bíblicos, há outras opiniões, o que enriquece muito os comentários bíblicos –, que o DISCÍPULO AMADO e a DISCÍPULA AMADA são todos aqueles e aquelas que escrevem, ao longo de todos os tempos e lugares, uma linda história de amor em toda a sua vida, de acordo com os ensinamentos de Jesus, seja uma história escrita ou não. Na verdade, todos nós somos amados por Jesus, o que resta saber é se vamos nos amar uns aos outros como ele nos amou, ou seja, se somos capazes de entregar e doar toda a nossa vida para ser testemunha do amor de Jesus.

Quem vive esse discipulado e seguimento produzirá muitos frutos em Jesus. Dizíamos na introdução deste livro que ele teria 6 partes ou 7, que é o número da perfeição, da totalidade, e que esta sétima parte seria livre e iria depender da decisão do leitor, autor, pois ser discípulo e discípula do amor está em nossas mãos e em nossos corações.

Vivenciando o sexto dia, o da criação, e que se tornou o último de todo um ciclo, quando Jesus nos dá o Espírito e a vida, surge um mundo novo, uma criação nova, que passa pelo sétimo dia e chega ao primeiro dia, que também é na linguagem de João o oitavo (7 mais 1).

> O oitavo dia é o dia da plenitude, para além do sétimo que seguiu à primeira criação: é o dia do mundo definitivo. A criação que Jesus levou a seu termo no sexto dia (19,30) desemboca neste tempo novo, que é ao mesmo tempo primeiro por sua novidade e oitavo por sua plenitude.[88]

[88] MATEOS, Juan; BARRETO, Juan. Loco citato, 1999, p. 868.

Eternamente, estamos vivenciando o primeiro e o oitavo dia. Mas isso só será possível se formos capazes de vivenciar este novo mandamento: "Eu vos dou um mandamento novo: Amai-vos uns aos outros, como eu vos amei: amai-vos assim uns aos outros. Nisso reconhecerão todos que sois meus discípulos, se tiverdes amor uns pelos outros" (13,34-35).

Para finalizar todo o Evangelho de São João, o evangelista do AMOR...

> Pois bem: eu, que sou o Mestre e Senhor, lavei seus pés; por isso vocês devem lavar os pés uns dos outros. Eu lhes dei um exemplo: vocês devem fazer a mesma coisa que eu fiz. Se vocês compreenderam isso, serão felizes se o puserem em prática (13,14-15.17).

AS CARTAS DE JOÃO

Se você tomar sua Bíblia, verá que, após o Evangelho de São João, temos o Livro dos Atos dos Apóstolos, as Cartas de São Paulo e, depois dessas, a Carta aos Hebreus, que, na verdade, não é de Paulo e nem se encaixa no que chamamos de cartas católicas ou cartas gerais, isto é, no sentido de ser um escrito universal, geral e para todos, sem um destinatário ou comunidade específica. Essas, no entanto, a partir de agora, serão tema de estudo de nosso livro. Como acabamos de estudar o Evangelho de São João, nada mais lógico que começar a escrever sobre as três cartas de João e continuar a refletir sobre os escritos joaninos, ou a literatura joanina, que, além do Evangelho de João e suas cartas, tem também o Apocalipse, que será tema de estudo de nosso próximo livro. Iremos comentar autor, data e muitos outros questionamentos teológicos na introdução de cada um dos escritos. Excetuadas as Cartas de João, que vêm depois das de Pedro, estudaremos as outras de acordo com a sequência da própria Bíblia, ou seja: Carta aos Hebreus, Carta de Tiago, Primeira e Segunda Carta de Pedro e a Carta de Judas. Prepare-se! Será muito interessante estudar essas cartas que estão entre os últimos escritos da Bíblia e entender melhor o final do século I e início do século II do cristianismo.

Contudo, não será possível estudar as Cartas de João sem antes saber sobre as comunidades joaninas e seu modo de ser e vivenciar os ensinamentos de Jesus Cristo.

1. As comunidades joaninas

Tente voltar ao tempo e imaginar uma Igreja sem papa, bispos, padres, freiras, e sim só com pessoas do povo...

Na verdade, não havia nem mesmo a Igreja, e sim as comunidades unidas em torno dos ensinamentos de Jesus e, dentre essas, uma bem diferente das comunidades apostólicas, paulinas e outras, que lutou muito contra a institucionalização e a hierarquia da Igreja; não tinha nem mesmo os sacramentos, e o único sinal sagrado era o amor. Estamos falando das comunidades joaninas, ou comunidade do discípulo amado (no Evangelho de João, já explicamos quem era o discípulo amado).

É difícil imaginar uma comunidade assim, bem diferente da Igreja que temos hoje. Claro que temos de levar em conta dois mil anos depois, um outro contexto histórico e social, mas também podemos aprender muito com essa experiência vivida a partir do amor, e tirar belas lições das origens do cristianismo e quem sabe nos questionar e voltar ao "primeiro amor", pois Jesus Cristo é o mesmo: "ontem, hoje e sempre" (cf. Hb 13,8).

Que bom! Que lindo! Que maravilhoso olhar para a história e ver, em plenitude, como é diferente quando a essência de tudo gira em torno do amor e do serviço. Para isso, vamos dar uma pequena visão geral das comunidades joaninas.[1]

---

[1] Aqui comentaremos, de modo geral, sobre as comunidades joaninas. Se você quiser saber mais sobre o tema, leia os livros: BROWN, Raymond E. *A comunidade do discípulo amado*. Tradução de Euclides Carneiro da Silva. São Paulo: Paulus, 1999, e BORTOLINI, José; BAZAGLIA, Paulo. *Como ler as Cartas de João*. São Paulo: Paulus, 2001.

Quando se fala em comunidades joaninas, estamos falando de várias comunidades que se formaram a partir de uma experiência do discípulo amado, que foi testemunha da vida, paixão, morte e ressurreição de Jesus e, nesse modo de viver, fez a experiência do amor ou do amar e ser amado, que uns consideram como sendo João, um dos discípulos de Jesus. Todavia, já comentamos muito sobre isso no Evangelho de João e lá colocamos que, por trás de um texto, há um contexto, uma comunidade e, por trás do discípulo amado, podemos ver os discípulos e as discípulas de Jesus de todos os tempos e lugares que fizeram, fazem e farão a experiência do amor de Jesus e do amor aos irmãos e irmãs na comunidade.

Nos escritos da Bíblia, trabalhamos sempre com possibilidades e certo consenso em relação ao autor e à data. Não dá para saber, com exatidão, quando surgiram essas comunidades, embora haja uma tradição e certo consenso de que as comunidades joaninas surgiram na região de Éfeso, na Ásia Menor, por volta dos anos 50, podendo ser um pouco antes ou um pouco depois. Primeiro, fizeram uma experiência de vida, tendo por base os ensinamentos de Jesus, a partir de uma realidade concreta e histórica do chão onde viviam, e tendo por princípio e, acima de tudo, o amor.

Num primeiro momento, não escreveram nada e só depois, com o passar do tempo, sentiram a necessidade de deixar, por escrito, o que chamamos de Evangelho de João – que demorou anos para ser escrito e só teve sua redação final por volta do ano 95 –, e as três cartas – que foram escritas por volta do ano 100. Mas, lendo atentamente esse Evangelho, vemos que essas comunidades, num primeiro momento, começaram, possivelmente, com os cristãos de origem judaica, ou judeus, que se converteram e depois foram se abrindo a outros grupos:

– no encontro entre Jesus e a Samaritana (Jo 4,4-42): "Muitos samaritanos dessa cidade acreditaram em Jesus, por causa do testemunho que a mulher havia dado. 'Ele me disse tudo o que eu fiz.' Os samaritanos então foram ao encontro de Jesus e lhe pediram que ficasse com eles. [...] 'Agora, nós mesmos ouvimos e sabemos que este é, de fato, o salvador do mundo'" (Jo 4,39-40.42);

– os gregos e outros povos que não seguiam a Lei de Moisés eram chamados pelos judeus de pagãos, e esses gregos, ao invés de irem ao Templo de Jerusalém, dizem a Filipe: "'Senhor, queremos ver Jesus'. Filipe falou com André; e os dois foram falar com Jesus" (Jo 12,21-22);

– e o próprio Jesus, nesse texto, deixa claro: "E, quando eu for levantado da terra, atrairei todos a mim" (Jo 12,32).

Fica evidente que a comunidade joanina era inclusiva e aberta a todos: não havia discriminação de raça, cor ou sexo, entre judeus, gregos ou pagãos. Nessa comunidade de diferentes povos, o laço que os unia era o amor. "O amor era, portanto, o único sacramento da presença de Jesus Cristo na comunidade. As comunidades joaninas eram, como vimos, ousadas. Não precisavam de sacramentos porque o amor era o grande sacramento."[2]

Por tudo isso, dá para perceber que as comunidades joaninas eram bem diferentes das outras comunidades cristãs, que já

---

[2] BORTOLINI, José; BAZAGLIA, Paulo. Loco citato, 2001, p. 53.

começavam a ter epíscopos, presbíteros, diáconos e já se institucionalizavam, além de terem alguns sacramentos como o batismo e a eucaristia, ou ceia do Senhor (1Cor 11,17-34), fração ou partir do pão (At 2,42-47), como era chamada no início das comunidades cristãs. O sinal sagrado era o amor. Você pode deduzir que havia certa suspeita de outras comunidades cristãs em relação às comunidades joaninas, que enfrentavam problemas e conflitos com os detentores do poder do "mundo", com os judeus seguidores da Lei de Moisés, com um grupo que considerava João Batista maior do que Jesus, com pessoas que, mesmo sendo cristãs, buscavam seus próprios interesses, ou já hierarquizadas, com a política do Império Romano e outras mais, mas, com o amor, a fé, a esperança e a união em comunidade, permitiam que esses fossem vencidos.

Todavia, as três Cartas de João revelam algo ainda pior: a divisão dentro da própria comunidade, dificuldades internas, que vão gerar muitos conflitos com os anticristos:

> Filhinhos, já chegou a última hora. Vocês não ouviram dizer que o Anticristo devia chegar? Pois vejam quantos anticristos já vieram! Daí reconhecemos que a última hora já chegou. Esses Anticristos saíram do meio de nós, mas não eram dos nossos. Se tivessem sido dos nossos, teriam permanecido conosco (1Jo 2,18-19).

Um grupo de sedutores, segundo o autor, que não reconhecem Jesus como Messias encarnado, espalharam doutrinas falsas pelo mundo, o que o leva a dizer: "não o recebam na casa de vocês, nem o cumprimentem. Aquele que o cumprimentar estará participando de suas obras más" (cf. 2Jo 7–11). E não é só isso: o problema maior é com aqueles que não estão vivendo de acordo com o sinal sagrado e o princípio básico do amor.

> Mas Diótrefes, que ambiciona dominar, não nos aceita. Por isso, quando eu for aí, não deixarei de reprovar o modo com que ele age, pois nos difama com palavras mal intencionadas. Não contente com isso, ele se recusa a receber os irmãos e impede aqueles que desejariam fazê-lo, expulsando-os da Igreja (3Jo 9-10).

Em relação aos anticristos e suas doutrinas, vamos explicar em breve. Mas os problemas internos, a ambição pelo poder, a falta de amor, a divisão na comunidade levam várias pessoas a dizerem que foi o fim das comunidades joaninas.

> A parceria das comunidades do Discípulo Amado com as igrejas hierarquizadas teve consequências bem claras. [...] As comunidades joaninas, contudo, tiveram de rever uma série de coisas, entre elas a questão da Eucaristia e, sobretudo, a figura representativa de Pedro. [...] Mas o preço dessa jogada foi fatal: em pouco tempo foram absolvidas pelas comunidades hierarquizadas e se diluíram nelas.[3]

Brown afirma que o autor das cartas foi profético ao afirmar que a divisão entre seus adeptos e os separatistas marcava a "última hora", pois, após essas cartas, "Não há

[3] Ibidem, p. 19-20.

mais nenhum vestígio de uma comunidade joanina distinta e separada".[4]

Então morreram e acabaram as comunidades joaninas? Não. Pode até ter desaparecido enquanto comunidade distinta ou até mesmo ter sido diluída por outras, mas o ideal da vivência do amor, como sacramento, nunca morre e está muito vivo entre nós e ao longo dos tempos. O que tem de ficar claro é que, não só as comunidades joaninas, mas todas as comunidades cristãs tinham por ideal o amor (Mt 22,34-40; Mc 12,28-34 etc.), inclusive até mesmo o amor aos inimigos (Mt 5,44).

Uma reflexão de Brown questiona-nos:

> Nós católicos nos sentimos satisfeitos com o fato de o papel pastoral de Pedro ser verdadeiramente querido pelo Senhor ressuscitado, mas a presença em nossas Escrituras de um discípulo a quem Jesus amava mais que a Pedro é um comentário eloquente do valor relativo do cargo eclesiástico. [...] A maior dignidade que se deve ambicionar não é nem a papal, nem a episcopal, nem a sacerdotal; a maior dignidade é a de pertencer à comunidade dos discípulos amados de Jesus Cristo.[5]

O ideal das comunidades joaninas está vivo, o que questiona muito a Igreja de hoje. Elas foram ousadas, corajosas e entenderam, com o coração, que, para construir uma comunidade

---

[4] BROWN, Raymond E. *A comunidade do discípulo amado*. Tradução de Euclides Carneiro da Silva. São Paulo: Paulus, 1999, p. 151.

[5] Ibidem, p. 171.

de iguais, sem hierarquia ou poder, só poderia ter um único sacramento ou sinal sagrado: o amor.

2. A Primeira Carta de João

Possivelmente, as três Cartas de João foram escritas por volta do ano 100, e há certo consenso de que foi em Éfeso, na Ásia Menor. A problemática maior gira sempre em torno de quem foi o autor. Vimos que, por detrás de João, ou do discípulo amado, tem toda uma comunidade, e o processo de redação do evangelho se deu ao longo de vários anos.

Em relação à segunda e terceira Cartas de João, ao que tudo indica, foram escritas pelo mesmo autor e são muito breves. O autor da primeira carta poderia ser alguém, ou algumas pessoas da comunidade joanina, e a hipótese de ter sido o mesmo (ou as mesmas) da segunda e terceira carta não é descartada. A primeira carta parece mais um ensinamento, uma exortação, uma catequese, procura explicar os membros da comunidade, quem eram os anticristos e exortar seus fiéis a permanecerem no amor e ensinamento de Jesus Cristo. Está havendo divisão, falsas doutrinas, busca do poder e vários ramos não estão mais unidos à videira, que é Jesus. Seja quem foi que a escreveu, vamos chamá-lo de autor da Primeira Carta de João, uma vez que o que importa é o escrito e não tanto quem foi o autor. Este, no entanto, faz uma homenagem especial a João ou o discípulo amado.

Se você observar bem o início dessa carta, verá que tem muita semelhança, mas também algumas diferenças, com o início do Evangelho de João. Aqui o autor não está mais preocupado com João Batista e sim com uma possível doutrina gnóstica, que em breve explicaremos. Tanto é verdade que ele faz questão de frisar:

> Aquilo que existia desde o princípio, o que ouvimos, o que vimos com nossos olhos, o que contemplamos e o que nossas mãos apalparam: – falamos da Palavra, que é a Vida. Porque a Vida se manifestou, nós a vimos, dela damos testemunho, e lhes anunciamos a Vida Eterna (1,1-2).

Havia pessoas que afirmavam que Jesus Cristo não havia encarnado, ou seja, não era um ser humano como nós. Era uma mera aparência. O que leva o autor a diferenciar um pouco do evangelho que também fala que, no princípio, lembrando o gênesis e a criação, existia a Palavra. Aqui ele acrescenta: o que ouvimos, o que vimos com nossos olhos e nossas mãos apalparam. Não há dúvida que Jesus se encarnou, e o autor fala no plural. Seria ele e os outros discípulos? Seria o discípulo amado que escreve e dá testemunho? Seja como for, o autor não vacila em mostrar para a comunidade quem são os anticristos.

2.1. Os anticristos

Se você ler toda a Primeira Carta de João, ficará surpreso(a) ao ver tantos ensinamentos e críticas em relação aos anticristos. Em poucas palavras, seriam aqueles que são contrários a Cristo.

O autor começa dizendo:

> Filhinhos, já chegou a última hora. Vocês não ouviram dizer que o Anticristo devia chegar? Pois vejam quantos anticristos já vieram! Daí reconhecemos que a última hora já chegou. Esses anticristos saíram do meio de nós, mas não eram dos nossos. Se tivessem sido dos nossos, teriam permanecidos conosco. Mas era preciso que ficasse claro que nem todos eram dos nossos. [...] Quem é o mentiroso? É quem nega que Jesus é o Messias. Esse tal é o Anticristo, aquele que nega o Pai e o Filho (2,18-19.22).

> Para saber se alguém é inspirado por Deus, sigam esta norma: fala da parte de Deus todo aquele que reconhece que Jesus Cristo se encarnou. Todo aquele que não reconhece a Jesus, não fala da parte de Deus. Esse tal é o espírito do Anticristo; vocês ouviram dizer que ele vinha, mas ele já está no mundo.
>
> Filhinhos, vocês são de Deus e já venceram os Anticristos, pois aquele que está com vocês é maior do que aquele que está com o mundo. Eles pertencem ao mundo; por isso falam a linguagem do mundo e o mundo os ouve. Nós, porém, somos de Deus (4,2-6a).

Várias pessoas estão desviando da verdade e dos ensinamentos de Jesus. Há um grupo de pessoas que se dizem cristãs, que estavam na comunidade joanina e agora ensinam que Jesus Cristo não se encarnou, e o autor as acusa de falar a linguagem do mundo e que elas não são inspiradas por Deus.

Mas o que levou algumas pessoas a se afastarem da comunidade e pregarem que Jesus Cristo só tinha aparência de homem e que só pelo conhecimento eram salvos? Aqui temos de esclarecer o que era o gnosticismo e o docetismo.

SAIBA MAIS...

O gnosticismo e o docetismo

Não vamos aqui entrar em detalhes de como surgiu e quais são suas doutrinas ou ensinamentos. Apenas dizer que gnosticismo é derivado da palavra grega *gnose*, que significa *conhecimento*. Dentro de um emaranhado de coisas, afirmava "que conhecer a Deus é um processo mental, algo que se obtém com o esforço da razão e não com o compromisso do amor fraterno",[6] o que leva alguns da comunidade simpatizantes desta doutrina a pensarem que seriam salvos sem julgamento e apenas mediante o conhecimento intelectual de Deus. Dentre algumas de suas teses: "a alma é uma centelha divina aprisionada no corpo; ela se liberta pela *sofia*, isto é, sabedoria: quando livre do corpo, a alma volta a Deus".[7]

Não é possível saber com precisão e há uma discussão interminável entre os estudiosos se tal doutrina gnóstica influenciou ou não os cristãos no início do século II, na época em que essa carta foi escrita.

O docetismo, por sua vez, vem da palavra grega *dokein*, que significa *parecer* e *ter aparência*. Nesse sentido,

---

[6] BORTOLINI, José; BAZAGLIA, Paulo. Loco citato, 2001, p. 53.

[7] CEBI. *Cartas pastorais e cartas gerais.* São Leopoldo/RS e São Paulo: CEBI e Paulus, 2001, p. 39.

"os docetas recusavam-se a aceitar a realidade carnal do corpo de Jesus, que seria então uma mera aparência, um disfarce com que o Filho de Deus se tornou visível".[8] Em síntese: negavam a encarnação de Jesus, o que leva o autor dessa primeira carta a chamá-los de anticristos (4,2-3) e mentirosos (2,22).

E hoje, será que ainda temos anticristos?

2.2. Deus é amor

Não tem como estudar as Cartas de João e seu Evangelho sem falar do amor. Aliás, tudo, nesses escritos, gira em torno do amor, a ponto de Jesus Cristo doar a própria vida em uma cruz, lavar os pés dos discípulos e dizer que esses só seriam reconhecidos como tais se vivessem no amor (cf. Jo 13). O autor da primeira carta é ousado e define até mesmo o indefinível: "Deus é amor" (1Jo 4,16).

No prefácio de meu livro *Mistérios do amor*, que é um romance, eu disse que nenhum homem ou mulher poderia definir ou desvendar toda a grandeza dessa palavra, pois o amor é o que temos de mais profundo, de mais belo e mais divino; e podemos deixar tudo no mundo, mas não podemos deixar de amar, pois o amor está presente em nosso ser e é o segredo de nossa felicidade.

Várias músicas têm letras profundas sobre o amor, como os seguintes trechos: "tem poder de mover as montanhas, quando

[8] Ibidem, p. 100.

quer acontecer derruba as barreiras. Para o amor não existem fronteiras...",[9] "compreendi que nem tudo é dinheiro e nem tudo se pode comprar. O amor quando é verdadeiro é de graça pra quem sabe amar",[10] e centenas de outros trechos por aí que você conhece. Se fôssemos analisar a fundo, quase tudo na vida tem por base o amor.

No livro Cântico dos Cânticos, há:

> Grave-me, como selo em seu coração, como selo em seu braço; pois o amor é forte, é como a morte! Cruel como o abismo é a paixão. Suas chamas são chamas de fogo, uma faísca de Deus! As águas da torrente jamais poderão apagar o amor, nem os rios afogá-lo. Quisesse alguém dar tudo o que tem para comprar o amor... seria tratado com desprezo (Ct 8,6-7).

E muitas outras citações bíblicas revelam faces do amor.

Na Primeira Carta de João, encontramos um dos mais lindos textos bíblicos sobre o amor:

> Amados, amemo-nos uns aos outros, pois o amor vem de Deus. E todo aquele que ama, nasceu de Deus e conhece a Deus. Quem não ama não conhece a Deus, porque Deus é amor. Nisto se tornou visível o amor de Deus entre nós: Deus enviou seu Filho único a este mundo, para dar-nos a vida por meio dele. E o amor consiste no seguinte: não fomos nós que amamos a Deus, mas foi ele que nos amou, e nos enviou

[9] Trecho da música *"A força do amor"*, do grupo Roupa Nova.

[10] Trecho da música *"Jogo do amor"*, da dupla Milionário e José Rico.

> seu Filho como vítima expiatória por nossos pecados.
>
> Amados, se Deus nos amou a tal ponto, também nós devemos amar-nos uns aos outros. Ninguém jamais viu Deus. Se nos amamos uns aos outros Deus está conosco, e seu amor se realiza completamente entre nós. [...] E nós reconhecemos o amor que Deus tem por nós e acreditamos nesse amor. Deus é amor: quem permanece no amor permanece em Deus, e Deus permanece nele. [...]
>
> No amor não existe medo; pelo contrário, o amor perfeito lança fora o medo, porque o medo supõe castigo. Por conseguinte, quem sente medo ainda não está realizado no amor. Quanto a nós, amemos, porque ele nos amou primeiro. Se alguém diz: "Eu amo a Deus", e no entanto odeia seu irmão, esse tal é mentiroso; pois quem não ama seu irmão, a quem vê, não poderá amar a Deus, a quem não vê. E este é justamente o mandamento que dele recebemos: quem ama a Deus, ame também seu irmão (1Jo 4,7-12.16.18-21).

Não precisa dizer mais nada, o texto em si já diz tudo. O autor questionou e questiona a todos nós ainda hoje:

> Se alguém possui os bens deste mundo e, vendo seu irmão em necessidade, fecha-lhe o coração, como pode o amor de Deus permanecer nele? Filhinhos, não amemos com palavras nem com a língua, mas com obras e de verdade (1Jo 3,17-18).

É muito diferente o amor com palavras e com a língua do amor com as obras e de verdade. Você não acha?

Quando um doutor da Lei – na época de Jesus, a Lei tinha 248 mandamentos e 365 proibições, num total de 613 preceitos – perguntou a Jesus qual é o primeiro de todos os mandamentos, e ele respondeu:

> O primeiro mandamento é este: Ouça, ó Israel! O Senhor nosso Deus é o único Senhor! E ame ao Senhor seu Deus com todo o seu coração, com toda a sua alma, com todo o seu entendimento e com toda a sua força. O segundo mandamento é este: Ame ao seu próximo como a si mesmo. Não existe outro mandamento mais importante do que esses dois (Mc 12,29-31).

Tanto naquele tempo da Lei – com seus 613 preceitos –, como hoje – com seus 1752 Cânones –, ou em quaisquer leis futuras, o que se deve ter em mente e acima de tudo é o amor a Deus e o amor ao próximo.

E, no Evangelho de João, Jesus diz:

> Eu dou a vocês um mandamento novo: "Amem-se uns aos outros. Assim como eu amei vocês, vocês devem se amar uns aos outros. Se vocês tiverem amor uns para com os outros, todos reconhecerão que vocês são meus discípulos" (Jo 13,34-35).

Diante de um emaranhado de leis, proibições, mandamentos, decretos, normas e outras coisas mais, Jesus nos ensina que seus discípulos e discípulas serão reconhecidos(as) unicamente pelo amor... Entendendo isso com o coração, o autor da Primeira Carta de João nos diz algo que pode modificar todo o nosso ser e viver: "Deus é amor: quem permanece no amor permanece em Deus, e Deus permanece nele" (1Jo 4,16).

3. A Segunda Carta de João

A Segunda Carta de João é o menor livro de toda a Bíblia, com apenas 13 versículos.[11] O autor apresenta-se como sendo: "O Ancião, à Senhora eleita e a seus filhos, a quem amo sinceramente" (1). Se você ler a Terceira Carta de João, versículo 1, o autor também se apresenta da mesma maneira, o que leva muitos estudiosos de João a verem nelas um único autor, por ser duas cartas muito pequenas. Esse ancião é alguém que pertence à comunidade joanina e que está preocupado, em primeiro lugar, com a vivência do amor, e que as comunidades permaneçam firmes no ensinamento de Jesus e deixem de lado o Sedutor, o Anticristo (2Jo 7) e aqueles que ambicionam dominar e não vivem no amor (3Jo 9-11).

A senhora eleita, possivelmente, é uma comunidade (sem especificar qual) e seus fiéis ou filhos. Tanto é verdade que, no final dessa carta, o autor diz que "os filhos de sua irmã Eleita a saúdam" (13). Muitos entendem que esses filhos ou fiéis da irmã eleita é a comunidade de Éfeso, de onde, possivelmente, o autor escreve essas cartas, por volta do ano 100. Eleita aqui não se refere a cargo ou função ou até mesmo exclusividade, mas sim escolhida por Jesus Cristo para viver o mandamento do amor.

Após a saudação inicial (1-3), o autor elogia a vivência desta comunidade em relação ao mandamento do amor (4-6)

[11] Quando um escrito bíblico não estiver dividido em capítulos, como é o caso de 2 e 3 João, e também da Carta de Judas, que vamos estudar neste livro, a citação se faz somente com os versículos. Exemplo: (1) significa o versículo 1 da carta em estudo. Quando o autor escreve sobre o mandamento do amor, nesta segunda carta, compreendendo os versículos 4, 5 e 6, a citação correta é (4-6), e assim por diante.

e exorta: "O amor consiste nisto: em viver conforme os mandamentos dele. E o primeiro mandamento, como aprenderam desde o princípio, é que vocês vivam no amor" (6).

Logo após, vem o alerta, que parece ser a razão maior dessa carta: "Porque muitos sedutores, que não reconhecem Jesus como Messias encarnado, espalharam-se pelo mundo. Eles são o Sedutor, o Anticristo" (7). E pede aos fiéis para não receberem tais pessoas em suas casas, sendo que "Aquele que o cumprimentar estará participando de suas obras más" (11). Sobre o Anticristo e suas obras, já escrevemos na primeira carta.

Na saudação final (12-13), o autor expressa o desejo de visitá-la e, nesse encontro fraterno, a única autoridade, que é o amor, será a causa de uma alegria completa.

4. A Terceira Carta de João

A terceira carta segue o mesmo esquema da segunda: saudação inicial (1-2), saudação final (13-15) e a mensagem contendo um elogio a Gaio, a quem é destinada a carta, pedindo a este para acolher bem os irmãos missionários estrangeiros (3-8) e também Demétrio (12). O autor dessa carta, como vimos na segunda, possivelmente é o mesmo.

Logo depois, entra no assunto principal:

> Escrevi algumas palavras à igreja. Mas Diótrefes, que ambiciona dominar, não nos aceita. Por isso, quando eu for aí, não deixarei de reprovar o modo com que ele age, pois nos difama com palavras mal

> intencionadas. Não contente com isso, ele se recusa a receber os irmãos e impede aqueles que desejariam fazê-lo, expulsando-os da Igreja. Caríssimo, não imite o mal, mas o bem. Quem faz o bem, é de Deus. Quem faz o mal, não viu a Deus (9-11).

Aqui temos uma das causas que contribuiu para a crise e os conflitos internos das comunidades joaninas: a questão do poder e da ambição. Isso deixa evidente que o amor já não reinava nos corações de alguns e muito menos o serviço. Tanto naquela época quanto hoje, temos de estar atentos para a lição do lava-pés, e que o mundo só vai nos reconhecer como discípulos e discípulas de Jesus se, de fato, não só com palavras, vivermos no amor.

CARTA AOS HEBREUS

A Carta aos Hebreus é um escrito diferente e único de todo o Novo Testamento, chamada de carta, mas, na verdade, não tem estilo que corresponda a esta, a não ser somente na saudação final (13,22-25). Ao que tudo indica, foi unicamente um bilhete enviado pelo(s) autor(es) e que não faz parte do texto em si, que termina em 13,21; foi um acréscimo posterior. Não tem saudação inicial, destinatário específico, assuntos concretos e problemas, como há nas Cartas de São Paulo aos Coríntios, Gálatas, Filipenses etc.

Se não é carta, então é o quê? Uns dizem ser mais um discurso, um sermão ou homilia. Nela, encontramos uma reflexão toda bem elaborada, um incentivo e orientação pastoral a partir da realidade e sofrimentos de uma determinada comunidade; fala-se também de doutrinas e esclarecimentos teológicos em relação ao culto antigo, ao sacerdócio, aos ritos de purificação, ao perdão dos pecados, aos sacrifícios, mas tudo isso é só para mostrar que o único e verdadeiro sacrifício se deu em Jesus que morreu na cruz, libertou-nos do pecado e dá a nós a ressurreição, onde a vida vence a morte. É o único escrito que apresenta Jesus como sumo sacerdote perpétuo na linha de Melquisedec (6,20).

No início da história da Igreja, sempre houve discussão se o autor desse escrito era ou não o apóstolo Paulo. Todavia, os estudiosos afirmam que Paulo não é seu autor, pois seu estilo é diferente de escrever, o modo de argumentar, corrigir e exortar. Seu autor é desconhecido, podendo ser autores. E há quem diga até que, por seu vocabulário, esse texto possa ter sido escrito por uma mulher, ou por alguém que era discípulo de Paulo.

> Como poderemos nós escapar do castigo, se não dermos atenção a uma salvação tão grande? De fato, depois de ter sido promulgada no início pelo Senhor, essa mesma salvação foi confirmada no meio de nós por aqueles que a tinham ouvido (2,3).

E encontramos Paulo que diz: "Irmãos, eu declaro a vocês: o Evangelho por mim anunciado não é invenção humana. E, além disso, não o recebi nem aprendi por meio de um homem, mas por revelação de Jesus Cristo" (Gl 1,11-12). E sobre a eucaristia ou ceia do Senhor diz: "De fato, eu recebi pessoalmente do Senhor aquilo que transmiti para vocês [...]" (1Cor 11,23). Todavia, não podemos também negar que a Carta aos Hebreus tem exortações e temas em comum com Paulo, no que se refere à graça, à fé, à superação da Lei e outros, conforme veremos ao longo desta exposição. De agora em diante, independentemente de serem autores ou autor que a escreveu – pois por detrás de um texto há todo um contexto e uma comunidade –, vamos nos referir a esse texto como "o autor de Hebreus" ou a Carta aos Hebreus, mesmo tendo dúvidas se foi um ou mais autores, se é carta ou não. Muitos dizem que este escrito não foi direcionado aos hebreus, mas possivelmente aos cristãos que deixaram o judaísmo e tinham origem judaica; outros até pensam que esse escrito foi direcionado aos hebreus que estavam em "cima do muro", para mostrar a eles que Jesus veio trazer a nova e eterna aliança por parte de Deus, e que o sacrifício de Jesus na cruz acabou de vez com os sacrifícios cultuais de acordo com a Lei antiga. Já ficou claro que não foi Paulo, pois o autor de Hebreus afirma que a salvação de Jesus Cristo foi confirmada no meio deles por aqueles que a tinham ouvido (cf. 2,3).

Baseados nesses fatos, podemos deduzir que esse texto aos hebreus foi escrito por volta dos anos 80, 90, embora alguns até pensem que ele foi escrito por volta do ano 70.[1] Seja como for: em 70, 80 ou 90, Paulo havia já morrido; ao que tudo indica, por volta do ano 67. Resumindo: tudo indica que não foi Paulo quem escreveu aos hebreus. Lembrando que, antigamente, era comum alguém escrever e colocar o nome de um personagem famoso e importante da época para que o escrito tivesse autoridade e fosse lido com outros olhos. Já vimos que isso se chama "pseudonímia" e, naquela época, era também um modo de homenagear alguém. A saudação final foi um acréscimo posterior e um modo que o autor desse escrito encontrou para que as comunidades pensassem que a autoria era de Paulo, o que não era errado na época, pois o mais importante era anunciar a salvação e a Palavra de Deus em Jesus Cristo, e não este ou aquele autor; refere-se que os da Itália mandam saudações, pode ser que o autor quis associar seu texto ao final da vida de Paulo que, segundo Atos dos Apóstolos (27–28), foi para Roma e, segundo a tradição, morreu fora dos muros dessa cidade, por volta do ano 67, o que coloca

[1] BÍBLIA. Português. Bíblia do peregrino. Organização de Luís Alonso Schökel. São Paulo: Paulus, 2002. p. 2.871, nota de rodapé da introdução da Carta aos Hebreus: "A carta é anterior à destruição do templo no ano 70 (cf. 10,1-3)".

em dúvida se esse texto foi ou não escrito na Itália. A saudação final é esta:

> Irmãos, peço que vocês acolham esta palavra de exortação. Foi por causa disso que lhes escrevi poucas palavras. Quero informar-lhes que nosso irmão Timóteo foi posto em liberdade. Se ele vier logo, eu o levarei comigo quando for aí para ver vocês. Saudações a todos os dirigentes e a todos os cristãos. Os da Itália mandam saudações para vocês. Que a graça esteja com todos vocês (13,22-25).

Em relação à divisão desse texto aos hebreus, vamos fazer assim:

1. Introdução 1,1-4;
2. A Palavra: Deus nos fala por meio de seu Filho Jesus 1,5–4,13;
3. Jesus Cristo é o sumo sacerdote 4,14–10,31 (10,32-39: exortação à comunidade);
4. A fé e a esperança 11,1-40;
5. Alerta à comunidade: Jesus Cristo é o mesmo, ontem, hoje e sempre 12,1–13,19;
6. Conclusão 13,20-21;
7. Segunda conclusão (acréscimo posterior ou bilhete) 13,22-25.

Dentro de nosso objetivo em proporcionar uma visão geral, uma introdução teológica, queremos, com a graça de Deus e seguindo as orientações do autor de hebreus, oferecer, não somente leite, mas também um alimento sólido: “Ora, quem precisa de leite ainda é criança, e não tem experiência para distinguir o certo do errado. E o alimento sólido é para os adultos que, pela prática, estão preparados para distinguir o que é bom e o que é mau" (5,13-14). Em se tratando de aprender a Palavra de Deus, necessitamos às vezes de leite, pois ainda somos "crianças" e convidados a crescer; outras vezes, de alimento sólido para distinguir qual é a vontade de Deus, qual é o caminho da justiça, do amor e da paz.

Diria que a Carta aos Hebreus é o segundo escrito mais difícil de compreender, pois o Apocalipse, que é tema de nosso outro livro: "Explicando o Apocalipse", o último de uma série de livros que explicam a Bíblia, sem dúvida, é o livro mais difícil de compreensão de todo o Novo Testamento.

Prepare-se! Hebreus é um "texto do Novo Testamento, muitas vezes enigmático e difícil, mas rico e precioso".[2] Esperamos que nossa explicação em Hebreus, feita com amor e carinho à Palavra de Deus, seja, não somente leite, mas também alimento sólido.

Que esse alimento então nos dê força em nossa caminhada de fé, esperança e luta pela justiça, pois somos povo peregrino neste mundo, a caminho de uma pátria futura. Todavia, temos de tomar cuidado porque "o novo céu e a nova terra" começa aqui e agora na comunidade onde vivemos.

Finalizando, vamos estudar um tema de cada uma das sete partes que colocamos acima. Lembrando que a terceira parte: Jesus Cristo é o sumo sacerdote (4,14–10,31), será a

[2] VASCONCELLOS, Pedro Lima. *Como ler a carta aos hebreus*. 2. ed. São Paulo: Paulus, 2008, p. 16.

mais complicada e difícil, pois pressupõe um conhecimento do Antigo Testamento no que se refere aos sacrifícios, sacerdotes, cultos, ritos de purificação, perdão dos pecados, o papel do sumo sacerdote e qual o verdadeiro sacrifício que Deus quer e aceita, e o motivo pelo qual o autor afirma ser Jesus Cristo o "sumo sacerdote perpétuo na linha de Melquisedec" (6,20). Mesmo que você não tenha conhecimento desses temas e seja leigo no assunto, não se preocupe, vamos colocar o *Saiba mais...* em ação, falando dos sacrifícios e ritos antigos, e tentar explicar, de uma maneira simples, o que o povo da época entendia por isso; no fundo, isso não tem tanta importância, pois:

> a Carta aos Hebreus não pretende acentuar o sacerdócio e o sacrifício, como às vezes se pensa. A eles se refere metaforicamente para mostrar que o sacerdócio e o sacrifício do templo são ultrapassados e substituídos pela única "auto-oferenda" que é toda a vida e obra de Jesus, culminada pela morte na Cruz, uma vez para sempre.[3]

Que possamos seguir o conselho do autor de Hebreus: "Jesus Cristo é o mesmo ontem, hoje e sempre. Não vos deixeis levar por doutrinas diferentes e estranhas" (13,8-9).

[3] CEBI. Loco citato, 2001, p. 44-45.

1. Introdução: Deus agora nos fala-se por meio de Jesus (1,1-4)

A Carta aos Hebreus inicia-se indicando que, desde os tempos antigos, de muitas formas, de muitos modos, por meio dos profetas, juízes, anjos, visões, sonhos e de outras maneiras, Deus falou com nossos antepassados. Mas, nesses últimos tempos, época em que o autor vivia, por volta do ano 80 ou 90, Deus nos falou por meio de seu próprio Filho, que é Jesus: "Nos tempos antigos, muitas vezes e de muitos modos Deus falou aos antepassados por meio dos profetas. No período final em que estamos, falou a nós por meio do Filho" (1,1-2a).

Na sequência, a introdução de Hebreus deixa transparecer um pouco o prólogo de São João, conforme vimos ao explicar aquele evangelho. Claro que o autor tem toda uma comunidade em vista e um objetivo bem elaborado, diferente, portanto, das comunidades joaninas. Mas, em diversos textos da Bíblia, encontramos hinos, introduções, cânticos e outros escritos que mostram o poder da Palavra de Deus em seu Filho Jesus. Baseada esta introdução em João ou não, lembramos que os textos bíblicos foram escritos em etapas e ao longo da história das primeiras comunidades cristãs, e não só em sua redação final. Se quiser voltar a ler o prólogo de João e depois compará-lo com esta parte da introdução, procure ver os pontos semelhantes e também os diferentes:

> Deus o constituiu herdeiro de todas as coisas e, por meio dele, também criou os mundos. O Filho é a irradiação de sua glória e nele Deus

> se expressou tal como é em si mesmo. O Filho, por sua palavra poderosa, é aquele que mantém o universo. Depois de realizar a purificação dos pecados, sentou-se à direita da Majestade de Deus nas alturas. Ele está acima dos anjos, da mesma forma que herdou um nome muito superior ao deles (1,2b-4).

Ao longo de seus escritos, fica claro que o autor de Hebreus tem pontos em comum com o modo de Paulo pensar, e isso ficará evidente se você ler a Carta aos Romanos,[4] em que tanto Paulo como o autor de Hebreus coloca que a Lei antiga foi ultrapassada, que é pela graça de Deus e não pelas obras da Lei que somos salvos, até mesmo na valorização da cruz e na doação da vida nova que dela nasce, em que Jesus perdoa nossos pecados e somos salvos pela graça, em que a vida vence a morte e, portanto, também nós devemos assumir nossa cruz. Eis um tema importantíssimo em Hebreus e também em Paulo:

> Quanto a mim, foi por meio da Lei que eu morri para a Lei, a fim de viver para Deus. Fui morto na cruz com Cristo. Eu vivo, mas já não sou eu que vivo, pois é Cristo que vive em mim. E esta vida que agora vivo, eu a vivo pela fé no Filho de Deus, que me amou e se entregou por mim (Gl 2,19-20).

---

[4] Se desejar aprofundar sobre esse tema da fé, da graça, da justificação em Paulo, leia o livro de minha autoria: Albertin, Francisco. *Explicando as cartas de São Paulo,* obra citada anteriormente. Hebreus fala sobre o culto antigo, sacrifícios, perdão dos pecados e compara com o sacrifício de Cristo na cruz. Mas ambos ressaltam que a Lei antiga foi ultrapassada e o importante é a graça, a entrega de Jesus na Cruz que nos salva e a vivência dos ideais da nova aliança de Deus com os homens. Vale a pena ler e aprender mais sobre a importância da graça, da vida nova que Jesus nos trouxe.

> Muito mais o sangue de Cristo que, com um Espírito eterno, se ofereceu a Deus como vítima sem mancha! Ele purificará das obras da morte nossa consciência, para que possamos servir ao Deus vivo. Desse modo, ele é o mediador de uma nova aliança. Morrendo, nos livrou das faltas cometidas durante a primeira aliança, para que os chamados recebam a herança definitiva que foi prometida (9,14-15).

O autor de Hebreus afirma que Jesus: "está acima dos anjos, da mesma forma que herdou um nome muito superior ao deles" (1,4). Podemos pensar: mas isso é muito evidente e lógico. Sim, para nós hoje, mas para o povo da época e, ao que tudo indica, para os da comunidade do autor de Hebreus, as pessoas eram muito ligadas na questão dos anjos, por serem até mesmo mensageiros da Palavra de Deus no Antigo Testamento. O autor mostra que Jesus, mesmo se fazendo homem, morrendo na cruz – nesse sentido, alguns da época até pensavam que Jesus, por ser humano, era inferior aos anjos (2,9) – venceu a morte, ressuscitou e está sentado à direita do Pai, portanto, muito acima dos anjos. É um alerta à comunidade para que fique firme na Palavra viva de Jesus, não só pensando em anjos ou coisas do passado. O importante é não viver "nas nuvens", só para as coisas do alto e esquecer as coisas da terra, o sofrimento, a perseguição e a vida cotidiana, pois Deus havia nos falado por meio de seu Filho Jesus, e é a ele que a comunidade deveria ouvir e seguir.

2. A Palavra: Deus nos fala por meio de seu Filho (1,5–4,13)

O autor de Hebreus adverte:

> Por isso, devemos levar mais a sério a mensagem que ouvimos, se não quisermos perder o rumo. De fato, se a palavra transmitida por meio dos anjos se mostrou válida, e toda transgressão e desobediência recebeu um justo castigo, como poderemos nós escapar do castigo, se não dermos atenção a uma salvação tão grande? De fato, depois de ter sido promulgada no início pelo Senhor, essa mesma salvação foi confirmada no meio de nós por aqueles que a tinham ouvido (2,1-3).

Jesus, o Filho de Deus, anunciou a Palavra de Deus e é o autor de nossa salvação. Para isso, a comunidade da época e de hoje tinha e tem de levar mais a sério a mensagem de Jesus. A partir de 3,7 até 4,11, o autor de Hebreus reflete com a comunidade um salmo muito conhecido: Salmo 94,7-11 – em algumas bíblias, devido à tradução, é o 95[5] –, em que o povo duvida da presença de Deus no meio deles ao longo da caminhada pelo deserto rumo à terra prometida. Se você quiser obter mais informações sobre partes dessa caminhada, pode ler Êxodo, a partir do capítulo 16 até o 20, ou só sobre o fato em si: Êx 17,1-7 e Nm 20,1-13.

Para ficar mais simples de entender, o autor de Hebreus mostra um fato do passado, em que o povo não escuta a voz de

[5] Se você tiver dúvidas sobre a numeração dos salmos, leia a explicação na página 74.

Deus e quer que este sirva de exemplo para que a comunidade atual faça diferente, no sentido de ouvir, abrir o coração e praticar a Palavra de Deus.

> Por isso, escutemos o que diz o Espírito Santo: "Hoje, se vocês ouvem a voz dele, não fiquem de coração endurecido como no dia da revolta, no dia da tentação no deserto. Ali os pais de vocês me tentaram, colocando-me à prova, embora já tivessem visto as minhas obras durante quarenta anos. Por isso, aquela geração me desgostou, e eu disse: 'Eles têm um coração transviado, não conheceram meus caminhos. Por isso, eu jurei em minha ira: Jamais entrarão em meu descanso'". Portanto, irmãos, tenham cuidado para que não haja entre vocês nenhum homem de coração perverso e sem fé, que se afaste do Deus vivo. [...] Por isso, tenhamos cuidado enquanto nos é oferecida a oportunidade para entrar no descanso de Deus. Não aconteça que alguém de vocês fique para trás! (3,7-12; 4,1).

Para entrar nesse descanso, que na época do êxodo era visto como uma caminhada durante 40 anos no deserto com muitas dificuldades e desafios até chegar à terra prometida, o autor quer mostrar que, no "hoje" de sua história e também no "hoje" de nossa história, há tantos desafios, dificuldades e lutas. O autor de Hebreus diz à comunidade da época e hoje a todos nós:

> atrevem-se a sonhar e a viver de acordo com esses sonhos e esperanças, que levem o nome de "descanso", "nova cidade" e outros. E assim são capazes de inventar novas maneiras de convivência e solidariedade, e de

> questionar os esquemas e valores que não contribuem para a realização dos sonhos e impedem a gente de sonhar, ver mais longe e avistar um mundo melhor.[6]

Na sequência, temos um texto que fecha esta primeira parte:

> A palavra de Deus é viva, eficaz e mais penetrante de que qualquer espada de dois gumes; ela penetra até o ponto onde a alma e o espírito se encontram, e até onde as juntas e medulas se tocam; ela sonda os sentimentos e pensamentos mais íntimos. Não existe criatura que possa esconder-se de Deus; tudo fica nu e descoberto aos olhos dele; e a ele devemos prestar contas (4,12-13).

Só a Palavra de Deus revelada por Jesus é capaz de nos levar um dia à pátria futura, pois no mundo somos peregrinos; mas para entrar nesse "descanso" faz-se necessário criar, neste mundo e no "hoje" de nossa história, um mundo melhor, com mais amor, paz e justiça, onde a comunidade tem um papel fundamental, a exemplo de Jesus, de entregar sua vida e construir o tão sonhado Reino de Deus já aqui e agora.

3. Jesus Cristo é o Sumo Sacerdote (4,14–10,31)

Por mais estranho e confuso que possa parecer um texto bíblico, ele sempre carrega em si um contexto, uma cultura,

[6] VASCONCELLOS, Pedro Lima. Loco citato, 2008. p. 39-40.

uma realidade social e quer transmitir um ensinamento importante para as pessoas da época e ao longo dos tempos.

Vamos tentar voltar ao tempo, um pouco antes da vinda de Jesus e à realidade social e religiosa da comunidade de Hebreus e de muitas outras. O Templo era visto como um lugar sagrado, da morada e da presença de Deus. Havia lá os sacerdotes que cuidavam do culto, do rito de purificação e dos sacrifícios para o perdão dos pecados e de outros ofícios. Havia também os sumos sacerdotes. Tinha todo um ritual, uma liturgia, toda uma solenidade para oferecer um sacrifício para o perdão dos pecados da comunidade, do sumo sacerdote ou de uma pessoa em particular. Temos de voltar no tempo, na época e na cultura do povo para entender o porquê do autor de Hebreus afirmar que Jesus é o sumo sacerdote, mas de acordo com a ordem do sacerdócio de Melquisedec (5,10).

E você até pode estar questionando-se: mas Jesus rompeu de vez com o Templo, com os sacrifícios, sacerdotes e sumos sacerdotes e com o sistema opressor da época, que não permitia que as pessoas tivessem acesso a Deus? Que esquisito afirmar que Jesus tinha alguma coisa a ver com o sumo sacerdote ligado ao Templo! Sim, é muito esquisito mesmo, tanto é verdade que Jesus não tem nada a ver com os sumos sacerdotes ligados ao Templo, ou à descendência de Levi e outras descendências sacerdotais, no que se refere aos sacrifícios e cultos.

Hebreus pode até parecer confuso e diria, conforme já citamos, "enigmático e difícil, mas é rico e precioso". Não podemos perder a oportunidade de entrar num vasto campo do Antigo Testamento, no que se refere aos sacrifícios e holocaustos, no perdão dos pecados e de um outro sacerdócio misterioso diferente deste, que chamamos de Melquisedec. Além disso, Hebreus não está preocupado com sacerdotes, holocaustos e sacrifícios. Mas por que então insiste em ser o único escrito do Novo Testamento a chamar Jesus de sumo sacerdote e dedica tantos capítulos para isso? Este é o enigma que vamos procurar desvendar, procurando dar, não somente leite, mas um alimento sólido na medida para que possamos compreender a mensagem aos Hebreus. Todavia, para que isso aconteça, vamos colocar o *Saiba mais...* e o modo pelo qual o povo, a comunidade, pedia perdão por seus pecados, antes do sacrifício de Jesus. Para isso, vamos direto à fonte, que se encontra no Livro do Levítico.

Saiba mais...

Sacrifícios e perdão dos pecados

Como o povo antigo, antes de Jesus, pedia perdão de seus pecados? Era necessário fazer um sacrifício e todo um ritual específico. Mas o que é sacrifício e como era esse ritual? "O sacrifício pode ser descritivamente definido em geral como uma oblação feita à divindade por meio da consagração e consumação da coisa oferecida."[7]

O ser humano sempre quis estabelecer um contato, uma intimidade com Deus ou uma divindade específica.

[7] SACRIFÍCIO. In: *DICIONÁRIO* Bíblico. Autoria de MACKENZIE, John L. Tradução de Álvaro Cunha et al. 4 ed. São Paulo: Paulus, 1984, p. 819.

O sacrifício sempre esteve presente ao longo da história da humanidade e nas mais diversas religiões.

> Em todas as religiões, o sacrifício é uma tentativa de entrar em relação mais íntima com a divindade; por isso a história das religiões o estudou essencialmente sob três pontos de vista: o sacrifício enquanto "dom", oferecido à divindade; o sacrifício operando uma "comunhão" com a divindade; o sacrifício visando uma "expiação" dos pecados e o perdão por parte da divindade.[8]

Esses sacrifícios, de um modo geral e nas mais diversas religiões, tinham um elemento em comum: o sangue oferecido. Mas, para isso ficar mais claro, vamos ver como era o ritual de um sacrifício para o perdão dos pecados.

> Ao se dar conta da violação cometida, a comunidade oferecerá, em sacrifício pelo pecado, um bezerro, animal grande e sem defeito. Ele será levado diante da tenda da reunião, e, diante de Javé, os anciãos da comunidade colocarão as mãos sobre a cabeça do bezerro e o imolarão diante de Javé. Em seguida, o sacerdote consagrado levará um pouco do sangue do bezerro para a tenda da reunião. Molhará o dedo no sangue e fará sete aspersões na frente

[8] BÍBLIA TRADUÇÃO ECUMÊNICA (TEB). São Paulo: Loyola, 1994, p. 156.

> do véu, diante de Javé. Ungirá com sangue os cantos do altar, que se encontra diante de Javé na tenda da reunião, e depois derramará todo o sangue na base do altar dos holocaustos, que está na entrada da tenda da reunião. Depois tirará do animal toda a gordura e a queimará no altar. Fará com esse bezerro como faz com o do sacrifício pelo pecado. Assim o sacerdote fará o rito pelos membros da comunidade, e eles serão perdoados (Lv 4,14-20).

Quando se fala em Javé o nome de Deus, do Senhor, como muitos o chamavam no Antigo Testamento, significa: *aquele que salva e liberta.* Holocausto é um sacrifício no qual a vítima era queimada completamente. "E o sacerdote queimará tudo sobre o altar. É um holocausto: oferta queimada, de suave odor para Javé" (Lv 1,9). Eles consideravam que a fumaça subia ao céu e era agradável a Deus. Se quiser, leia Lv 1. Era um gesto para agradecer, suplicar e louvar a Deus.

Já que estamos no assunto, tinha também o sacrifício de comunhão, também chamado de sacrifício pacífico, em que a família, a comunidade, oferecia a gordura e o sangue de um animal, que poderia ser boi, cordeiro, cabrito, ovelha e outros. Leia mais detalhes em Lv 3. O sangue simboliza a vida, e Deus é o Senhor da vida. Tirada a gordura e o sangue, o restante do animal era consumido pelos sacerdotes e pelas famílias; estas faziam uma refeição, sinal de amizade, comunhão entre si e com Deus.

Havia também as oblações, em que se ofereciam alimentos e também o que eles chamavam de primícias, ou seja, os primeiros frutos da terra eram oferecidos a Deus. Nesse caso, não tinha sangue de animais. Era um modo de agradecer a Deus os alimentos tirados da terra. Para maiores detalhes do ritual, leia Lv 2.

Havia, ainda, o dia do perdão ou expiação dos pecados, depois de todo um ritual específico (leia Lv 16).

> Depois de fazer a expiação do santuário, da tenda da reunião e do altar, Aarão mandará trazer o bode vivo. Colocará as duas mãos sobre a cabeça do bode e confessará sobre ele todas as culpas, transgressões e pecados dos filhos de Israel. Depois de colocar tudo sobre a cabeça do bode, mandará o animal para o deserto, conduzido por um homem para isso preparado. Assim, o bode levará sobre si, para uma região deserta, todas as culpas deles. [...] uma vez por ano será feita a expiação por todos os pecados dos filhos de Israel (Lv 16,20-22.34).

Você já deve ter ouvido a famosa expressão "bode expiatório". Ela é ainda hoje muito utilizada, referindo-se a alguém que não tem culpa de nada e leva a culpa dos outros.

Agora que descrevemos, de maneira resumida, os sacrifícios, holocaustos e oblações, fica fácil imaginar o quanto esses rituais faziam parte da vida cotidiana do povo e o quanto eram levados a sério.

A partir de agora, vamos continuar a explicar o modo pelo qual o autor de Hebreus diz que Jesus Cristo é o sumo sacerdote, que é diferente dos outros sacerdotes e sumos sacerdotes do Templo, e qual é o verdadeiro sacrifício que Deus quer e deseja.

O próprio autor de Hebreus escreve:

> Todo sumo sacerdote, escolhido entre os homens, é constituído para o bem dos homens nas coisas que se referem a Deus. Sua função é oferecer dons e sacrifícios pelos pecados. [...] Temos muito a dizer sobre este assunto, mas é difícil explicar, porque vocês se tornaram lentos para compreender (5,1.11).

O sumo sacerdote oferece sacrifícios pelos próprios pecados e do povo. Mas o que fica claro é que, a partir de Jesus, "fica abolida a lei anterior, por ser fraca e inútil; de fato, a Lei não levou nada à perfeição" (7,18-19).

> Por isso, mesmo oferecendo sacrifícios continuamente, ano após ano, a Lei não tem poder de conduzir à perfeição aqueles que participam de tais sacrifícios. [...] Contudo, por meio desses sacrifícios, a lembrança dos pecados é renovada ano após ano, uma vez que é impossível eliminar os pecados com o sangue de touros e bodes (10,1.3-4).

Por tudo isso e muitas outras coisas mais que o autor argumenta nos capítulos de 5 a 10, fica evidente que Jesus Cristo não é e nem poderia ser um sumo sacerdote de acordo com a Lei antiga e com todo aquele ritual do Templo. O autor quis apenas lembrar e comentar que:

> Jesus é sumo sacerdote exatamente porque não tem nada a ver com a instituição sacerdotal que ajudou a matá-lo e agora desapareceu (lembre-se de que quando Hebreus foi escrito, o templo de Jerusalém já havia sido destruído)! Desde tempos antigos, junto com a crítica que faziam às práticas sacerdotais, os profetas [...] falavam desse novo sacerdócio, que deveria romper com a corrupção e com o legalismo existentes no templo de Jerusalém.[9]

Para ficar claro de uma vez por todas, Jesus é sumo sacerdote, não legalista, institucional, de acordo com algumas descendências humanas, e muito menos para afastar o povo de Deus e utilizar o templo que para ele era um local de opressão, comércio e exploração (Jo 2,13-22; Lc 19,45-48; Mt 21,12-13; Mc 11,15-18). Agora vem a resposta tão esperada pelos leitores de Hebreus:

> Embora sendo Filho de Deus, aprendeu a ser obediente por meio de seus sofrimentos. E, depois de perfeito, tornou-se a fonte da salvação eterna para todos aqueles que lhe obedecem. De fato, ele foi proclamado por Deus sumo sacerdote, segundo a ordem do sacerdócio de Melquisedec (5,8-10).

Jesus é o sumo sacerdote de acordo com o sacerdócio de Melquisedec. Como explicar isso?

Vamos ver o que o próprio autor de Hebreus escreve:

[9] VASCONCELLOS, Pedro Lima. Como ler a carta aos hebreus. 2. ed. São Paulo: Paulus, 2008, p. 60.

> Melquisedec era rei de Salém e sacerdote do Deus Altíssimo. Ele foi ao encontro de Abraão, quando este voltava vitorioso da batalha contra os reis. Ele abençoou Abraão, e Abraão lhe deu a décima parte de tudo. Traduzindo, o nome Melquisedec significa "rei de justiça"; além disso, ele é rei de Salém, isto é, "rei da paz". Sem pai, sem mãe, sem genealogia, sem começo nem fim de vida como o Filho de Deus, Melquisedec permanece sacerdote para sempre. [...] Além do mais, isso não aconteceu sem juramento. Os outros se tornaram sacerdotes sem juramento; Jesus, porém, recebeu um juramento de Deus, que lhe disse: "O Senhor jurou, e não voltará atrás: você é sacerdote para sempre". Por essa razão, Jesus se tornou a garantia de uma aliança melhor. [...] Por isso, Jesus é o sumo sacerdote de quem tínhamos necessidade: santo, inocente, sem mancha, diferente dos pecadores e elevado acima dos céus. Ele não precisa, como os outros sumos sacerdotes, oferecer diariamente sacrifícios, antes pelos próprios pecados e depois pelos pecados do povo; porque ele, oferecendo-se a si mesmo, fez isso uma vez por todas (7,1-3.20-22.26-27).

O autor explica que Melquisedec é sacerdote e rei, Rei da Justiça e Rei da Paz; não tem começo e nem fim e não sabemos nada sobre seu pai, sua mãe e sua genealogia; abençoa Abraão, que lhe paga o dízimo (para maiores detalhes, leia Gn 14,18-20). Esse misterioso personagem é o exemplo escolhido de Hebreus para mostrar que Jesus é sumo sacerdote, que oferece sua vida como dom, perdão dos pecados, por seu sangue derramado, e nos garante o acesso a Deus que está junto, ao lado, dentro do coração de cada pessoa e que não precisa mais de sacrifícios, pois Jesus ofereceu a si mesmo e entregou sua própria vida. Em relação ao juramento: "Você é sacerdote para sempre, segundo a ordem de Melquisedec" (Sl 110,4 – em algumas bíblias aparece como 109,4), sem muitos detalhes, esse salmo real mostra a importância do rei e do sacerdote, mas de acordo com Melquisedec. Alguns estudiosos veem, nesse salmo, um sentido messiânico, do Messias, o ungido, que viria da parte de Deus, mas há dúvidas e debates sobre isso.

Finalmente, o autor de Hebreus, além de colocar que sacrifícios, holocaustos e todo o ritual pelo perdão dos pecados perdem o sentido a partir de Jesus, coloca ainda mais, ou seja, que, na verdade, o importante não é o sacrifício e sim a oferta livre e consciente da própria vida, como fez Jesus:

> Por esse motivo, ao entrar no mundo Cristo disse: "Tu não quiseste sacrifício e oferta. Em vez disso, tu me deste um corpo. Holocaustos e sacrifícios não são de teu agrado". Por isso eu disse: "Eis-me aqui, ó Deus – no rolo do livro está escrito a meu respeito – para fazer a tua vontade".
>
> Primeiro diz: "Não queres e não agradam sacrifícios e ofertas, holocaustos e sacrifícios pelo pecado". Trata-se de coisas que são oferecidas segundo a Lei. Depois acrescenta: "Eis-me aqui para fazer a tua vontade". Desse modo, Cristo suprime o primeiro culto para estabelecer o segundo. É por causa dessa vontade que nós fomos santificados pela oferta do corpo de Jesus Cristo, realizada uma vez por todas (10,5-10).

Porque cumpriu a vontade do Pai e assumiu o projeto de uma vida nova na justiça, paz e amor, Jesus foi condenado à morte, derramou seu sangue, perdoou os nossos pecados, venceu a morte, dá-nos a vida e é o único mediador entre os homens e Deus.

4. A fé e a esperança (11,1-40)

O capítulo 11 é espécie de uma ponte, um elo entre a segunda e a quarta parte de acordo com nosso esquema. Em 10,32-39, o autor exorta a comunidade para lembrar dos primeiros dias em que foram batizados ou iluminados, que receberam a luz de Cristo para vencer e suportar os insultos, tribulações, sofrimentos e prisões. A comunidade manteve-se solidária e agora não pode perder a coragem. "Nós, porém, não somos como aqueles que voltam atrás para se perder, mas somos homens de fé, para salvar a nossa vida" (10,39).

Seria bom que você lesse todo o capítulo 11, em que o autor descreve, por meio de vários exemplos, que a fé levou várias pessoas a ter esperança e cumprir a vontade de Deus. A comunidade de Hebreus precisa voltar ao passado, olhando para aqueles que, no Antigo Testamento, vivenciaram a fé e a esperança nos primeiros dias em que assumiram a fé em Jesus, que tanto sofreu, e pela fé e por amor esperou em Deus e foi atendido.

> A fé é um modo de já possuir aquilo que se espera, é um meio de conhecer realidades que não se veem. Foi por causa da fé que os antigos foram

> aprovados por Deus. Pela fé, sabemos que a Palavra de Deus formou os mundos; foi assim que aquilo que vemos originou-se de coisas invisíveis (11,1-3).

E a partir daí, o autor vai citar vários exemplos de pessoas que tiveram fé, mantiveram-se firmes na esperança e foram aprovados por Deus. Dentre elas, aparecem Abraão, Isaac, Jacó, Moisés e muitos outros. "Todos eles foram aprovados por Deus por causa da fé que tinham. Mas nenhum deles alcançou a promessa. Deus preparou para nós algo melhor, a fim de que, sem nós, eles não obtivessem a perfeição" (11,39-40).

Se a fé é um modo de possuir aquilo que se espera e até de conhecer realidades que não se veem com os olhos, diante de tal situação de perseguição, prisão, sofrimento, é hora de ter coragem e assumir com fé a realidade atual. A esperança de chegar um dia à ressurreição e vida nova deve vencer todo e qualquer sofrimento no tempo presente. Mas o autor não é daqueles que acreditam que a felicidade só virá no mundo vindouro. Ele exorta sua comunidade a ser solidária, a manter a hospitalidade e o amor fraterno aqui e agora na terra, embora fique claro que somos peregrinos neste mundo a caminho da pátria futura, mas a salvação começa aqui e agora.

O que o autor propõe é nos mantermos firmes na fé, na esperança, e solidários com os que suportam tribulações.

5. Alerta à comunidade: Jesus Cristo é o mesmo ontem, hoje e sempre (12,1–13,19)

Para quem deseja conhecer um pouco mais a comunidade de Hebreus, temos um pequeno "retrato" nestes dois capítulos. Ao invés de ficarmos enumerando diversos acontecimentos, vamos colocar o alerta do autor e assim entendermos melhor sua realidade:

> mantendo os olhos fixos em Jesus, autor e consumador da fé. Em troca da alegria que lhe era proposta, ele se submeteu à cruz, desprezando a vergonha, e se assentou à direita do trono de Deus. Para que vocês não se cansem e não percam o ânimo, pensem atentamente em Jesus, que suportou contra si tão grande hostilidade por parte dos pecadores.
>
> [...] Por isso, levantem as mãos cansadas e fortaleçam os joelhos enfraquecidos. Endireitem os caminhos por onde terão que passar, a fim de que o aleijado não manque, mas seja curado. Procurem estar em paz com todos. Progridam na santidade, porque sem ela ninguém verá o Senhor. Vigiem para que ninguém abandone a graça de Deus. Que nenhuma raiz venenosa cresça no meio de vocês, provocando perturbação e contaminando a comunidade (12,2-3.12-15).

Trata-se de uma comunidade que está cansada e enfraquecida e na qual muitos estão desviando do caminho da cruz. Faz-se necessário viver de acordo com a graça de Deus e progredir no amor, na fé e na esperança.

Como a Palavra de Deus é viva e eficaz, vários conselhos daquele tempo se encaixam muitas vezes perfeitamente nos dias de hoje. Seria bom que você lesse e meditasse sobre esses ensinamentos, ou até mesmo que fosse lido, na comunidade, e debatido por todos para vermos como estamos vivenciando esses ideais propostos para a comunidade de Hebreus.

> Perseverem no amor fraterno. Não se esqueçam da hospitalidade, pois algumas pessoas, graça a ela, sem saber acolheram anjos. Lembrem-se dos presos, como se vocês estivessem na prisão com eles. Lembrem-se dos que são torturados, pois vocês também têm um corpo. Que todos respeitem o matrimônio e não desonrem o leito nupcial, pois Deus julgará os libertinos e adúlteros. Que a conduta de vocês não seja inspirada pelo amor ao dinheiro. Cada um fique satisfeito com o que tem, pois Deus disse: "Eu nunca deixarei você, nunca o abandonarei". Assim, podemos dizer com ânimo: "O Senhor está comigo, eu não temo. O que é que me poderá fazer um homem?" Lembrem-se dos dirigentes, que ensinaram a vocês a Palavra de Deus. Imitem a fé que eles tinham, tendo presente como eles morreram.
>
> Jesus Cristo é o mesmo ontem, hoje e sempre. Não se deixem levar por nenhum tipo de doutrinas estranhas. [...] Não se esqueçam de ser generosos, e saibam repartir com os outros, porque tais são os sacrifícios que agradam a Deus (13,1-9.16).

São ensinamentos preciosos que servem de alerta a todas as comunidades cristãs daquele tempo e de todos os tempos. Não é fácil permanecer firmes no amor fraterno e, às vezes, é mais fácil dizer que os presos estão na cadeia porque merecem, porque erraram, do que ir até eles, ouvir suas histórias, seus sonhos – que em alguns já nem mais existem –, seus sofrimentos, bem como tentar fazer alguma coisa para aliviá-los um pouco. No relato do Juízo Final, foi Jesus quem disse: "Eu estava na prisão, e vocês foram me visitar" (Mt 25,36), ou não foram me visitar (Mt 25,43). Recordo sempre da pastoral carcerária, numa cidade mineira, onde os presos gostavam que fosse lido este texto. Muitos deles fizeram a primeira eucaristia, alguns saíram da cadeia e mudaram de vida, outros voltaram a cometer crimes e foram presos novamente, e outros ainda deram lindos depoimentos: "Conhecemos Jesus na prisão". Por maior que sejam os pecados – e quem não peca? –, Jesus também está presente neles. Pedro, Paulo, os primeiros cristãos e muitos outros, ao longo da história, foram presos sem cometer nenhum crime, e isso fica bem evidente na comunidade dos Hebreus: muitos estão sendo presos e torturados pela fidelidade aos ensinamentos de Jesus.

Nunca podemos esquecer: "JESUS CRISTO É O MESMO ONTEM, HOJE E SEMPRE" (13,8).

6. Conclusão (13,20-21)

A exemplo do Evangelho de João, Hebreus tem duas conclusões 13,20-21 e 13,22-25. Antes da primeira, o autor pede aos fiéis que "rezem por nós e para que eu possa voltar até vocês o quanto antes" (cf. 13,18-19).

> O Deus da paz, que ressuscitou dos mortos a Jesus nosso Senhor, que é o pastor supremo das ovelhas por ter derramado o sangue da aliança eterna, que Deus torne vocês perfeitos em todo bem. Assim poderão cumprir a vontade dele, realizando em vocês aquilo que agrada a Deus, por meio de Jesus Cristo. A ele seja dada a glória para sempre. Amém (13,20-21).

Jesus entregou sua vida, derramou seu sangue na cruz e nos ensina a entregar nossa vida para que nossos irmãos e irmãs possam ter mais vida. Deus quer a misericórdia e não sacrifícios (cf. Os 6,6; Mt 12,7).

7. Segunda conclusão – acréscimo posterior ou bilhete (13,22-25)

Os biblistas, de modo geral, estão de acordo que essa segunda conclusão não pertence ao texto original de Hebreus, ou seja, é um acréscimo posterior, ou um bilhete anexado ao escrito para que fosse lido na comunidade. Já vimos que o autor de Hebreus não é Paulo, embora tenha alguma semelhança, conforme já colocamos na introdução. Essa segunda conclusão é um convite a acolher bem "esta palavra de exortação".

> Irmãos, peço que vocês acolham esta palavra de exortação. Foi por causa disso que lhes escrevi poucas palavras. Quero informar-lhes que nosso

irmão Timóteo foi posto em liberdade. Se ele vier logo, eu o levarei comigo quando for aí para ver vocês. Saudações a todos os dirigentes e a todos os cristãos. Os da Itália mandam saudações para vocês.

Que a graça esteja com todos vocês (13,22-25).

Como será que estamos acolhendo a Palavra de Deus em nossas comunidades?

CARTA DE TIAGO

A Carta de Tiago é um escrito importantíssimo, que não usa meias palavras, vai direto ao assunto e questiona se as atitudes da comunidade são ou não são cristãs. Pena que é muito desconhecida de boa parte dos que se dizem cristãos, pois sua mensagem tanto naquela época como hoje é essencial para se ter um verdadeiro cristianismo. É um escrito valioso, de estilo sapiencial, que reúne diversos conselhos e ensinamentos de como unir fé e obras, e tem muito a nos ensinar sobre a vivência dos ensinamentos de Jesus em nossas comunidades.

Pela graça de Deus, estaremos juntos refletindo sobre os escritos de Tiago. Mas que Tiago? Por favor, pegue sua Bíblia e, sem pressa, vamos analisar algumas passagens, onde aparecem alguns "Tiagos", e depois quem sabe ter uma ideia mais clara sobre o autor dessa carta.

Vamos começar pelo chamado que Jesus fez para constituir seu grupo de discípulos. Como Marcos foi o primeiro a escrever o evangelho, por volta do ano 68-70, começaremos por ele:

> Caminhando mais um pouco, Jesus viu Tiago e João, filhos de Zebedeu. Estavam na barca, consertando as redes. Jesus logo os chamou. E eles deixaram seu pai Zebedeu na barca com os empregados e partiram, seguindo Jesus (Mc 1,19-20).

Esse primeiro, vamos chamá-lo de agora em diante de Tiago, filho de Zebedeu.

Sabemos que entre os doze discípulos de Jesus, dois se chamavam Tiago. Ao referir-se aos doze, Marcos (3,18) coloca: "Tiago, filho de Alfeu".

Vamos chamar esse segundo de Tiago, filho de Alfeu.

Caminhando um pouco mais, vamos observar que, quando Jesus vai para Nazaré, sua terra, e, ao ensinar na sinagoga, muitos lhe perguntavam de onde vinham tanta sabedoria e os milagres realizados. "Esse homem não é o carpinteiro, filho de Maria e irmão de Tiago, de Joset, de Judas e de Simão? E suas irmãs não moram aqui conosco?" (Mc 6,3).

Vamos chamar esse terceiro de Tiago, irmão do Senhor ou de Jesus.

Só para recordar: na língua hebraica, os parentes mais próximos eram chamados de irmãos, e os nomes citados significam que eram parentes de Jesus e não irmãos de sangue e verdadeiros, filhos do mesmo pai e da mesma mãe, como conhecemos hoje. A tradição da Igreja afirma que Jesus não teve outros irmãos e que Maria permaneceu virgem antes, durante e após o parto. Para esclarecer mais o assunto, vamos voltar um pouco na época de Jesus:

> Na língua hebraica não há muitos termos para designar os diversos graus de parentesco, como primo, sobrinho, tio, enteado etc. Segundo a tradição nômade, os membros de uma tribo ou de um clã eram chamados de irmãos, do mesmo

> modo que o chefe era chamado de pai. O termo hebraico *'ah* significa literalmente irmão, mas pode significar também outros consanguíneos.[1]

Em relação ao primeiro Tiago, filho de Zebedeu e também irmão de João, conforme vimos, temos: "Nesse tempo, o rei Herodes começou a perseguir alguns membros da Igreja, e mandou matar à espada Tiago, irmão de João" (At 12,1-2). A tradição da Igreja afirma que isso ocorreu no ano 44, portanto, não poderia ser esse o autor da carta, já que ela foi escrita muito tempo depois, por volta do ano 90 a 100, embora uns coloquem a possibilidade dos anos 80.

Quanto a Tiago, filho de Alfeu, a Bíblia diz muito pouco sobre ele. Na verdade, não há muitas informações. Ao que tudo indica, ele teve um papel discreto, tem enorme possibilidade de não ser ele o autor.

Resta, portanto, o terceiro Tiago, que chamamos de "Irmão do Senhor" e, esse sim, é uma pessoa que exerceu grande influência na Igreja primitiva. Se você tomar a Carta de São Paulo aos Gálatas (1,11-23), em que Paulo descreve seu chamado e conversão, temos: "Três anos mais tarde, fui a Jerusalém para conhecer Pedro, e fiquei com ele quinze dias. Entretanto, não vi nenhum outro apóstolo, a não ser Tiago, o irmão do Senhor" (Gl 1,18-19).

Em relação à Assembleia de Jerusalém, temos:

> Por isso, Tiago, Pedro e João, considerados como colunas, reconheceram a graça que me fora

[1] STRABELI, Frei Mauro. *Bíblia: perguntas que o povo faz*. 6. ed. São Paulo: Paulinas, 1990. p. 138.

> concedida, estenderam a mão sobre mim e a Barnabé em sinal de comunhão: nós trabalharíamos com os pagãos, e eles com os circuncidados. Eles pediram apenas que nos lembrássemos dos pobres, e isso eu tenho procurado fazer com muito cuidado (Gl 2,9-10).

Paulo fala também de: "antes de chegarem algumas pessoas da parte de Tiago" (Gl 2,12). Isso mostra que Tiago, irmão do Senhor, era uma pessoa de destaque na Igreja de Jerusalém.

Ao ser libertado da prisão de forma miraculosa, pois Herodes, além de matar Tiago à espada, queria também matar Pedro, este diz para os irmãos que estavam reunidos para rezar: "Contem isso a Tiago e aos irmãos" (At 12,17).

E, na Assembleia em Jerusalém – se quiser maior esclarecimento, leia Atos dos Apóstolos, capítulo 15 –, ocorre a reunião dos apóstolos e de pessoas convidadas para debaterem a questão dos pagãos, dos circuncidados e da observação ou não da Lei de Moisés. Após o discurso de Pedro, é Tiago quem toma a Palavra, é ele quem dá a decisão final: "Por isso, eu sou do parecer que não devemos importunar os pagãos que se convertem a Deus" (At 15,19). Ele, com os apóstolos e anciãos, é quem escreve uma carta com algumas orientações pastorais (At 15,22-29).

Então, achamos o autor da Carta de Tiago? Por algum tempo se pensou que fosse realmente Tiago, o irmão do Senhor, o autor dela, mas... Tiago, irmão do Senhor, segundo a tradição da Igreja, morreu martirizado no ano 62, portanto, a carta teria de ter sido escrita antes deste ano. Há consenso de que ela foi escrita entre os anos 80 a 100.

Estudos se fizeram ao longo da história e há consenso de que o autor, que se apresenta como: "Tiago, servo de Deus e do Senhor Jesus Cristo, saúda as doze tribos na dispersão" (1,1). Apresenta-se como servo do Senhor Jesus Cristo. As doze tribos lembram Israel em sua plenitude, e dispersão ou diáspora, os judeus que moravam fora da Palestina. Agora, tudo isso é atribuído à comunidade cristã em sua plenitude, que também se espalhou em várias partes do mundo. O autor, possivelmente, foi um judeu-cristão, por seu modo de escrever, de conhecer o grego e o estilo sapiencial. "Mas a opinião que predomina é que se trata de um escrito do final do século I, pelo tom das exortações e pela realidade que reflete."[2] Em relação ao autor verdadeiro dessa carta, não temos dados suficientes e isso já vimos em outras cartas anteriores, em que acontece o mesmo processo.

> Tal autor anônimo teria recolhido as tradições de Tiago, "irmão do Senhor", que estavam vivas na Palestina, atribuindo, como homenagem póstuma, a carta a Tiago. Tais tradições teriam muita semelhança com as tradições que formaram os evangelhos sinóticos (Marcos, Mateus e Lucas).[3]

Muitos que escreveram sobre Tiago fizeram seu próprio caminho e têm argumentos diversos. Todavia, encontramos em muitos autores a distinção entre os três Tiagos, pois se faz necessária. Em relação à divisão dessa carta, não se tem uma ordem ou uma estrutura específica, como ocorre em alguns livros

---

[2] CEBI. *Cartas pastorais e cartas gerais*. São Leopoldo/RS e São Paulo: CEBI e Paulus, 2001. p. 53.

[3] STORNIOLO, Ivo. *Como ler a Carta de Tiago*. São Paulo: Paulus, 1996. p. 9.

da Bíblia. Na verdade, há vários conselhos, instruções e ensinamentos de como vivenciar os princípios cristãos na comunidade. Aparecem vários temas, depois o autor vai para outros e retorna aos temas já abordados.

Dissemos anteriormente que essa carta não tem meias palavras. Indo direto ao assunto, aborda temas muito atuais, que fazem parte da comunidade cristã, tanto daquela época como nos dias de hoje. Como os temas abordados por Tiago são claros, vamos colocá-los conforme foram escritos, com breve comentário, pois o leitor poderá meditar sobre eles e tirar a mensagem que considerar melhor para sua vivência na comunidade. Decidimos abordar sete temas que aparecem nessa carta e refletir sobre eles, tendo, por base, a comunidade cristã.

Serão estes os temas abordados:

1. A língua;
2. Pobres e ricos;
3. A sabedoria;
4. Competições e conflitos;
5. Ouvir e praticar a palavra;
6. Unção dos enfermos e perdão dos pecados;
7. A fé e as obras.

1. A língua

Ninguém melhor que Tiago escreveu com profundidade o perigo de uma língua afiada, ou melhor, de uma língua *cheia de veneno mortal*. Muitos dizem: "cuidado com a língua!". Talvez o maior problema que enfrenta uma comunidade cristã é exatamente em relação à língua de seus membros. Quantos se escandalizaram e escandalizam com a língua de irmãos e irmãs, que se dizem cristãos, mas só os são de nome. Quantos se afastaram por verem pessoas da comunidade falarem uma coisa e viverem outra totalmente diferente do que falaram. Quantos foram vítimas de fofocas, intrigas, invejas, maldades e rivalidades. A fofoca destrói a fraternidade. E quantas pessoas gostam de se reunir para falarem mal da vida dos outros. Quantas injustiças, quantos pecados... Dificilmente encontramos pessoas que se reúnem para falar bem e elogiar os outros. Tiago diz que "todos nós estamos sujeitos a muitos erros" (3,2). Não confunda esse escrito como lição de moral, pois todo autor escreve, em primeiro lugar, para si mesmo e depois para os outros. Todos nós temos muitos erros e o autor de Tiago tinha também. O que queremos é refletir sobre seus ensinamentos e o modo pelo qual seus sábios conselhos poderão nos levar a uma conversão e a uma vivência autêntica dos ensinamentos de Jesus Cristo. Meditemos:

> Aquele que não comete falta no falar, é homem perfeito, capaz de pôr freio ao corpo todo. Quando colocamos freio na boca dos cavalos para que nos obedeçam, nós dirigimos todo o corpo deles. Vejam também os navios: são tão grandes e empurrados por fortes ventos! Entretanto, por um pequenino leme são conduzidos para onde o piloto quer levá-los. A mesma coisa acontece com a língua: é um pequeno membro e, no entanto, se gaba de grandes coisas.
>
> Observem uma fagulha, como acaba incendiando uma floresta imensa! A língua é um fogo, o mundo da maldade. A língua, colocada entre

> os nossos membros, contamina o corpo inteiro, incendeia o curso da vida, tirando sua chama da geena. Qualquer espécie de animais ou de aves, de répteis ou de seres marinhos são e foram domados pela raça humana; mas nenhum homem consegue domar a língua. Ela não tem freio e está cheia de veneno mortal. Com ela bendizemos o Senhor e Pai, e com ela amaldiçoamos os homens, feitos à semelhança de Deus. Da mesma boca sai bênção e maldição. Meus irmãos, isso não pode acontecer! Por acaso, a fonte pode fazer jorrar da mesma mina água doce e água salobra? Meus irmãos, por acaso uma figueira pode dar azeitonas, e uma videira pode dar figos? Assim também uma fonte salgada não pode produzir água doce (3,2-12).
>
> Se alguém pensa que é religioso e não sabe controlar a língua está enganando a si mesmo, e sua religião não vale nada (1,26).

2. Pobres e ricos

Na história da humanidade, lamentavelmente nos deparamos com uma triste realidade: de um lado, uns têm muito e, de outro, muitos não têm nada. Lucas escreve com maestria a parábola sobre o rico e o pobre (16,19-31), e, ao que tudo indica, Tiago é influenciado por ele, Marcos e Mateus. Diz Lucas:

> Havia um homem rico que se vestia de púrpura e linho fino, e dava banquete todos os dias. E um pobre, chamado Lázaro, cheio de feridas, que estava caído à porta do rico. Ele queria matar a

> fome com as sobras que caíam da mesa do rico. E ainda vinham os cachorros lamber-lhe as feridas... (Lc 16,19-21).

Que cena real do pobre e do rico! Por que será que os cachorros entram nessa história?

Jesus diz: "Ninguém pode servir a dois senhores. Porque, ou odiará a um e amará o outro, ou será fiel a um e desprezará o outro. Vocês não podem servir a Deus e ao dinheiro" (Mt 6,24).

Paulo critica até mesmo a celebração da Ceia do Senhor,[4] o que chamamos hoje de eucaristia, em que havia uma refeição e ele diz:

> De fato, quando se reúnem, o que vocês fazem não é comer a Ceia do Senhor, porque cada um se apressa em comer sua própria ceia. E, enquanto um passa fome, outro fica embriagado [...] Ou desprezam a Igreja de Deus e querem envergonhar aqueles que nada têm? [...] pois aquele que come e bebe sem discernir o Corpo, come e bebe a própria condenação (1Cor 11,20-22.29).

Mas alguém que conhece as escrituras pode dizer que os primeiros cristãos:

> Eram perseverantes em ouvir o ensinamento dos apóstolos, na comunhão fraterna, no partir do pão e nas orações. [...] Todos os que abraçaram a

[4] Se você desejar adquirir mais conhecimento de como era celebrada a Ceia do Senhor, que depois passou a ser chamada de "fração do pão" e eucaristia, bem como sua história ao longo dos tempos, leia o livro de minha autoria: ALBERTIN, Francisco. *Explicando as cartas de São Paulo*. 7. ed. Aparecida: Santuário, 2010. p. 77-84.

> fé eram unidos e colocavam em comum todas as coisas; vendiam suas propriedades e seus bens e repartiam o dinheiro entre todos, conforme a necessidade de cada um (At 2,42.44-45).

Alguns não muito avisados podem dizer: "Que lindo!". É inegável que muitos dos primeiros cristãos realmente partilhavam seus bens e eram unidos na oração e na vida. Ainda hoje, há algumas pessoas que partilham seus bens e sua vida, mas, nesse retrato das primeiras comunidades cristãs, Lucas coloca um retrato *ideal* e não *real*. Havia sim a partilha, mas havia também aqueles que não partilhavam, e hoje a história continua, só que o abismo entre Ricos e Pobres aumenta cada vez mais.

Certa vez, perguntaram ao Dalai Lama o que mais o surpreendia na humanidade e ele respondeu:

> O que mais surpreende é o homem, pois perde a saúde para juntar dinheiro, depois perde o dinheiro para recuperar a saúde. Vive pensando ansiosamente no futuro, de tal forma que acaba por não viver nem o presente, nem o futuro. Vive como se nunca fosse morrer e morre como se nunca tivesse vivido.

Depois dessa introdução, vamos meditar o que Tiago nos diz sobre esse tema:

> Queridos irmãos, não misturem com certos favoritismos pessoais a fé que vocês têm em nosso Senhor Jesus Cristo, Senhor da glória. Por exemplo: entra na reunião de vocês uma pessoa com

anéis de ouro e vestida com elegância; e entra também uma pessoa pobre, vestida com roupas velhas. Suponhamos que vocês deem atenção à pessoa que está vestida com elegância e lhe dizem: "Sente-se aqui, neste lugar confortável", mas dizem à pessoa pobre: "Fique aí em pé"; ou então: "Sente-se aí no chão, perto do estrado de meus pés." Nesse caso, vocês estão fazendo diferença entre vocês mesmos e julgando os outros com péssimos critérios.

Ouçam, meus queridos irmãos: não foi Deus quem escolheu os que são pobres aos olhos do mundo, para torná-los ricos na fé e herdeiros do Reino que ele prometeu àqueles que o amam? E, no entanto, vocês desprezam o pobre! Ora, não são os ricos que oprimem a vocês e os arrastam perante os tribunais? Não são eles que difamam o nome sublime que foi invocado sobre vocês? (2,1-7).

Que o irmão pobre se orgulhe de sua alta dignidade, e o rico se orgulhe de perder sua posição social, porque o rico desaparecerá como a flor da erva (1,9-10).

E agora vocês, ricos: comecem a chorar e gritar por causa das desgraças que estão para cair sobre vocês. Suas riquezas estão podres, suas roupas foram roídas pela traça; o ouro e a prata de vocês estão enferrujados; e a ferrugem deles será testemunha contra vocês, e como fogo lhes devorará a carne. Vocês amontoaram tesouros para o fim dos tempos. Vejam o salário dos trabalhadores que fizeram a colheita nos campos de vocês: retidos por vocês, esse salário clama, e os protestos dos cortadores chegaram aos ouvidos do Senhor dos exércitos. Vocês tiveram na terra uma vida de conforto

> e luxo; vocês estão ficando gordos para o dia da matança! Vocês condenaram e mataram o justo, e ele não conseguiu defender-se (5,1-6).

3. A sabedoria

Quando falamos em sabedoria, logo nos vem à mente uma pessoa intelectual, estudiosa, com vários diplomas, conhecedora das ciências e de uma cultura digna de um sábio. Mas será essa a sabedoria que a Bíblia nos fala? No livro da Sabedoria, no Antigo Testamento, fica claro que sábio é aquele que vive de acordo com a vontade de Deus. Não é uma sabedoria de livros, intelectual e teórica, mas a sabedoria que vem da vida. Saber viver de acordo com o plano e os ensinamentos de Jesus, o sábio dos sábios. Tiago diz que se alguém da comunidade tem falta de sabedoria deve pedir com fé a Deus e ele atenderá tal pedido (cf. 1,5). Em outros termos: é a sabedoria que se adquire não com a mente e de maneira intelectual, e sim aquela que vem do coração e que acontece ao longo da vida em Deus. "Qualquer dom precioso e qualquer dádiva perfeita vêm do alto, desce do Pai das luzes" (1,17).

Agora, vamos meditar o que Tiago tem a nos falar sobre em que consiste a sabedoria que Deus quer e deseja:

> Quem é sábio e inteligente entre vocês? Pois então, mostre com a boa conduta que suas ações são de uma sabedoria humilde. Mas, se vocês têm no coração ciúme amargo e espírito de rivalidade, não

> fiquem se gabando e não mintam contra a verdade. Esse tipo de sabedoria não vem do alto; é sabedoria terrena, animal, demoníaca. De fato, onde há ciúme e espírito de rivalidade, há também desordem e todo tipo de ações más. Ao contrário, a sabedoria que vem do alto é, antes de tudo, pura, pacífica, humilde, compreensiva, cheia de misericórdia e bons frutos, sem discriminações e sem hipocrisia. Na verdade, um fruto de justiça é semeado na paz para aqueles que trabalham pela paz (3,13-18).

4. Competições e conflitos

Numa comunidade, algumas vezes entre alguns de seus membros, há uma praga: querer ser o maior, ter o poder e, com isso, nascem as competições, os conflitos, as rivalidades e a inveja. Isso destrói a harmonia, a paz e os ideais cristãos. É um grande contratestemunho, um escândalo e um enorme pecado contra o amor. A Palavra de Deus é uma força transformadora e libertadora que, em sua vivência, constrói um mundo novo. Algumas pessoas, que sentem em seu coração o desejo de mudança e procuram uma comunidade cristã para isso, ao depararem com esse tipo de coisa, logo se afastam, pois esperavam o amor, a partilha, a paz e o bem, e encontram, por parte de algumas pessoas, até mesmo o ódio, a competição, a desunião e uma luta pelo poder. Não é raro ver ministros da eucaristia, coordenadores de uma ou de outra pastoral e movimento, logo após deixarem de ser o coordenador, por um motivo ou outro, afastarem-se da Igreja. A dor torna-se ainda maior quando existem até mesmo algumas paróquias que se comparam a outras, julgando ser melhores; ou até mesmo quando a ânsia de poder atinge alguns padres, religiosos, religiosas e lideranças de uma comunidade, que para alcançarem algum objetivo utilizam-se de meios que não são nada cristãos. Cada um deve questionar-se se esse é um assunto seriíssimo, que exige uma decisão radical: queremos o poder ou queremos servir?

Talvez seja por que Tiago vai direto ao assunto e não tem meias palavras e denuncia tudo aquilo que não vem de Deus é que esse livro é tão desconhecido, pois a verdade compromete. E sua crítica em relação aos ricos e pobres, à língua venenosa, às competições e invejas na comunidade, ao desejo de poder, à fé sem obras, que é morta, e muitas outras coisas, faz com que Tiago não seja tão bem visto por parte de alguns e até mesmo por algumas religiões que pregam que, para se salvar, precisa-se apenas da fé. E Tiago afirma que a fé sem obras é morta; isso causa constrangimento àquelas doutrinas.

Nunca podemos esquecer que Jesus nos ensinou que o maior mandamento é o amor a Deus e o amor ao próximo e que ele "não veio para ser servido. Ele veio para servir e para dar sua vida como resgate em favor de muitos" (Mc 10,45).

Que cada um de nós purifique o próprio coração e siga o alerta de Tiago: vocês devem *ser submissos a Deus e resistir ao diabo* (4,7).

Vamos refletir e ver o que queremos mudar em nossa vida de acordo com os ensinamentos de Tiago:

> De onde surgem os conflitos e competições que existem entre vocês? Não vêm exatamente dos prazeres que guerreiam em seus membros? Vocês cobiçam, e não possuem; então matam. Vocês têm inveja, e não conseguem nada; então lutam e fazem guerra. Vocês não recebem, porque não pedem; e vocês pedem, mas

> não recebem, porque pedem mal, com intenção de gastarem em seus prazeres. [...] Mas ele dá uma graça maior. É por isso que a escritura diz: "Deus resiste aos soberbos, e aos humildes dá sua graça". Portanto, sejam submissos a Deus; resistam ao diabo, e este fugirá de vocês. Aproximem-se de Deus, e ele se aproximará de vocês. Pecadores, purifiquem as mãos! Indecisos, purifiquem o coração! Reconheçam a própria miséria, cubram-se de luto e chorem! [...] Humilhem-se diante do Senhor, e ele os elevará (4,1-3.6-9a.10).

5. Ouvir e praticar a palavra

Há diferença entre ouvir por ouvir a Palavra. Ouvir por ouvir não leva a um compromisso com sua mensagem e uma mudança de vida. É o que Tiago chama de ouvinte distraído, o contrário daqueles que ouvem e praticam a Palavra – que tem sua lei maior, a lei perfeita e da liberdade, que é exatamente o mandamento de amor a Deus e ao próximo.

Muitas vezes, vamos à missa, na celebração da comunidade, ouvimos a Palavra e até gostamos da homilia, mas, quando termina a missa ou a celebração, voltamos para nossas casas e parece que tudo continua da mesma maneira, que nada muda. No outro fim de semana, vamos de novo à missa, na celebração da comunidade, ou participamos de um encontro bíblico e, muitas vezes, somos *ouvinte distraído e iludimos a nós mesmos* (1,22).

A Palavra de Deus leva a uma conversão e mudança de vida. Ela nos compromete com a vivência do amor, da partilha, da doação, das boas obras e de uma fé viva que se transforma em obras de misericórdia. Santo Antônio dizia: "A palavra é viva quando são as obras que falam. Cessem, portanto, os discursos e falem as obras. Estamos saturados de palavras, mas vazios de obras". E Santo Agostinho: "As palavras comovem, mas os exemplos arrastam".

Vivemos em um mundo onde há tantas palavras, promessas de políticos e pregações do evangelho maravilhosas... Sem muitas palavras ou discursos, vamos direto ao assunto: "Somos praticantes da Palavra ou meros ouvintes? Tiago, neste texto, tem muito a nos ensinar. Meditemos:

> Por isso, deixem de lado qualquer imundície e sinal de malícia, e recebam com docilidade a Palavra que lhes foi plantada no coração e que pode salvá-los.
>
> Sejam praticantes da Palavra, e não apenas ouvintes, iludindo a si mesmos. Quem ouve a Palavra e não a pratica, é como alguém que observa no espelho o rosto que tem desde o nascimento; observa a si mesmo e depois vai embora, esquecendo a própria aparência. Mas, quem se concentra numa lei perfeita, a lei da liberdade, e nela continua firme, não como ouvinte distraído, mas praticando o que ela manda, esse encontrará a felicidade no que faz (1,21-25).

6. Unção dos enfermos e perdão dos pecados

A unção dos doentes em nome do Senhor, para obtenção da cura e do perdão dos pecados, é um texto único em todo o Novo Testamento e exclusivo de Tiago. Na missão dos discípulos, em Marcos, eles "curavam muitos doentes, ungindo-os com óleo" (Mc

6,13), mas "a unção como rito sagrado não é mencionada no Novo Testamento, à exceção da unção dos doentes em Tg 5,14".[5]

Ao longo da história da Igreja, o texto inspirou a existência do sacramento da unção dos enfermos, que foi chamado de modo errado, por certo tempo, de "extrema unção" e, portanto, causava medo, pois só deixavam para ungir o doente quando este estivesse para morrer. Era quase que ungir para a boa morte e esta era a ideia de muitas pessoas da época e de algumas ainda hoje. Nada mais errôneo, pois o sacramento da unção dos enfermos visa a cura do doente, a solidariedade da comunidade com os que sofrem, o perdão dos pecados e a reconciliação do doente com Deus.

Não é novidade que, no Antigo Testamento e na época de Jesus Cristo, muitos acreditavam que a doença era um castigo de Deus devido a algum pecado por parte da pessoa ou até mesmo de seus pais, e até as deficiências físicas eram entendidas assim. Tanto é verdade que os discípulos, ao verem um cego de nascimento, perguntam a Jesus: "'Mestre, quem foi que pecou, para que ele nascesse cego? Foi ele ou seus pais?' Jesus respondeu: 'Não foi ele que pecou, nem seus pais, mas ele é cego para que nele se manifestem as obras de Deus'" (Jo 9,2-3). O livro de Jó trata bem desse tema da doença como fruto do pecado. O que sabemos a partir de Jesus Cristo é que Deus quer a saúde, a paz, a alegria e que a doença faz parte de nossa natureza por sermos humanos, seres corporais. Deus quer nos libertar, curar e dar uma vida nova. Deus quer a saúde e a vida.

Mas Tiago tem um versículo que dá margem de interpre-

[5] UNGIR. In: DICIONÁRIO Bíblico. Autoria de MACKENZIE, John L. Tradução de Álvaro Cunha et al. 4 ed. São Paulo: Paulus, 1984, p. 953.

tação em pelo menos dois sentidos: "Confessai uns aos outros os pecados, rezai uns pelos outros, e vos curareis" (5,16). Esse versículo pode estar relacionado com a oração da comunidade, ou do representante desta, feita para a cura do doente, tanto física quanto no sentido de perdão dos pecados, pois, em 5,15, referindo-se aos doentes, temos: "e se ele tiver pecados, será perdoado". E o versículo seguinte volta ao assunto de confessar os pecados, rezar uns pelos outros e ser curados.

Se o versículo for lido em si e sem relação com os anteriores, podemos dizer que Jesus, depois de ressuscitado, aparece aos discípulos e diz:

> "A paz esteja com vocês. Assim como o Pai me enviou, eu também envio vocês". Tendo falado isso, Jesus soprou sobre eles, dizendo: "Recebam o Espírito Santo. Os pecados daqueles que vocês perdoarem, serão perdoados. Os pecados daqueles que vocês não perdoarem, não serão perdoados" (Jo 20,21-23).

Em Mateus, temos a missão da comunidade e a questão do irmão que peca, que deve ser corrigido: "Eu lhes garanto: tudo o que vocês ligarem na terra, será ligado no céu, e tudo o que vocês desligarem na terra, será desligado no céu" (Mt 18,18). E Jesus havia já dito a Pedro algo parecido: "Eu lhe darei as chaves do Reino do Céu, e o que você ligar na terra será ligado no céu, e o que você desligar na terra será desligado no céu" (Mt 16,19).

Lido em si esse versículo, nele pode também conter, de certo modo, a questão do perdão dos pecados dos fiéis, já que em

Mateus isso fica bem claro e João também fala desse mesmo perdão dos pecados.

> Em linha de princípio devemos dizer que o perdão dos pecados é um gesto que Jesus deixou à comunidade cristã, como podemos ver em Mateus 18,18 e João 20,23. É a comunidade unida, e de comum acordo, que pode libertar o fiel de tudo aquilo que o separa de Deus e dos irmãos. A forma que o sacramento da penitência ou reconciliação foi adquirindo através da história depende do costume disciplinar que a Igreja institucionalizou.[6]

Feitos esses esclarecimentos, o texto agora fica claro e mostra o carinho, a dedicação que temos de ter para com os doentes. Jesus mesmo disse, referindo-se ao Juízo Final, em que as boas obras serão fundamentais: "Eu estava doente, e cuidaram de mim" (Mt 25,36), ou não foram me ver ou visitar (Mt 25,43). E tudo o que fazemos a um de nossos irmãos mais pequeninos, fazemos ao próprio Jesus, que se faz presente neles e em nós, quando abrimos nosso coração.

Que possamos valorizar o sacramento da unção dos enfermos, visitar, cuidar, rezar, ser solidários e "curar" os doentes! Meditemos:

> Alguém de vocês está sofrendo? Reze. Está alegre? Cante. Alguém de vocês está doente? Mande chamar os presbíteros da Igreja para que rezem por ele, ungindo-o com óleo, em nome do Senhor. A oração feita com fé salvará o doente: o Senhor o levantará, e se ele tiver pecados, será perdoado (5,13-15).

[6] STORNIOLO, Ivo. *Como ler a Carta de Tiago*. São Paulo: Paulus, 1996. p. 54-55.

7. A fé e as obras

Deixamos para analisar a questão da fé e obras por último, e de propósito, pois, na verdade, é o texto mais conhecido e citado pelas pessoas que não conhecem tão bem Tiago e até mesmo a Bíblia. Há verdadeiros provérbios bíblicos, ditos populares, do tipo: "O Senhor é meu pastor e nada me faltará", "Quem não tiver nenhum pecado que atire a primeira pedra", "A fé sem obras é morta" etc. Não tem como falar de fé se esta não for viva, ou seja, tem de ter obras. Caso contrário, Tiago já deixou bem claro: que a fé sem obras é morta e não serve para nada, não existe ou é insuficiente para agradar a Deus.

Jesus mesmo disse: "Nem todo aquele que me diz 'Senhor, Senhor', entrará no Reino do Céu. Só entrará aquele que põe em prática a vontade de meu Pai, que está no céu" (Mt 7,21). E o texto do Juízo Final (Mt 25,31-46), que citamos anteriormente, mostra que as boas obras realizadas aos irmãos mais necessitados nesta vida, e não só a fé, serão essenciais para possuir a vida eterna.

Tiago e Paulo têm um personagem em comum: ambos escrevem sobre Abraão e sobre sua fé e sua obra. Se você desejar aprofundar o tema da justificação em Paulo, poderá ler meu livro: "Explicando as Cartas de São Paulo", na Carta aos Romanos, pois a discussão de Paulo com os fariseus é longa e complicada. Paulo, em Gl 3,6-14, e principalmente em Rm 4,1-25, faz todo um estudo para provar que Abraão não é justificado pelas obras da Lei, obras entendidas aqui como as praticadas por aqueles que respeitam a Lei de Moisés. Os fariseus eram ferrenhos observadores da Lei e consideravam que, só com essa observância, a pessoa poderia ser justificada, e Paulo mostra que Abraão, o Pai da fé, e tanto os judeus como os pagãos, todos pecaram. Como então se dá essa justificação? Ora, Abraão viveu muito antes de Moisés, ou seja, não havia a Lei. Portanto, Abraão foi justificado pela fé e não pelas obras da Lei: "Todos pecaram e estão privados da glória de Deus, mas se tornam justos gratuitamente por sua graça mediante a libertação realizada por meio de Jesus Cristo. [...] O homem torna-se justo por meio da fé, independentemente da observância da Lei" (Rm 3,23-24.28).

Paulo está preocupado e argumenta contra os fariseus na questão das obras da Lei. Já Tiago vai falar da importância das boas obras no sentido de amor ao próximo e de caridade, o que é muito diferente: uma coisa são **obras da Lei** e outra coisa são as **boas obras**. Não podemos confundir alho com olho, são duas coisas completamente diferentes, embora sejam parecidas em sua grafia. Paulo também diz que o importante é "a fé que age por meio do amor" (Gl 5,6). Alerta aos Tessalonicenses: "Quanto a vocês, irmãos, não se cansem de fazer o bem" (2Ts 3,13). Paulo diz que, na reunião com os apóstolos em Jerusalém, "eles pediram apenas que nos lembrássemos dos pobres, e isso eu tenho procurado fazer com muito cuidado" (Gl 2,10). É ele que organiza uma coleta solidária (2Cor 8–9). Paulo está convicto de que a fé e as boas obras são essenciais e fundamentais para todos os cristãos e nisso tanto ele quanto Tiago estão de acordo. O que pode ter acontecido é que muitos cristãos, na época de Tiago, poderiam estar acomodados, achando que eram justificados pela fé e que não precisariam das boas obras, o que leva Tiago a dizer que a fé sem as obras é morta e não serve para nada. Referindo-se a Abraão diz: "Quando nosso pai Abraão ofereceu o filho Isaac sobre o altar, não foi pelas obras que ele se tornou justo? Vocês podem perceber que a fé cooperou com as obras dele, e que pelas obras essa fé se tornou perfeita" (2,21-22).

Finalizando Tiago com "chave de ouro", pois, em seus escritos, o tempo todo está preocupado em ser fiel aos ensinamentos de Jesus, que quer a fé, o amor, as boas obras e a paz entre todos os membros da comunidade – e nada melhor que vivenciar nela uma fé viva, que só é verdadeira se tiver obras –, deixemos que isto fale a nosso coração:

> Meus irmãos, se alguém diz que tem fé, mas não tem obras, que adianta isso? Por acaso a fé poderá salvá-lo? Por exemplo: um irmão ou irmã não têm o que vestir e lhes falta o pão de cada dia. Então alguém de vocês diz para eles: "Vão em paz, se aqueçam e comam bastante"; no entanto, não lhes dá o necessário para o corpo. Que adianta isso? Assim também a fé: sem as obras, ela está completamente morta.
>
> Alguém poderia dizer ainda: "Você tem a fé, e eu tenho as obras. Pois bem! Mostre-me sua fé sem as obras, e eu, com minhas obras, lhe mostrarei minha fé". [...] Da mesma forma que o corpo sem o espírito está morto, assim a fé sem as obras está morta (2,14-18.26).

PRIMEIRA CARTA DE PEDRO

A Primeira Carta de Pedro é muito original e revela um retrato, um rosto autêntico, e descreve, com muitos detalhes, como viviam algumas comunidades cristãs no fim do século I.

O autor apresenta-se como "Pedro, apóstolo de Jesus Cristo", e os destinatários, como sendo "aos que vivem dispersos como estrangeiros no Ponto, Galácia, Capadócia, Ásia e Bitínia".

E a mensagem inicial:

> Vocês foram escolhidos de acordo com a presciência de Deus Pai e por meio da santificação do Espírito, para obedecerem a Jesus Cristo e serem purificados por seu sangue. Que a graça e a paz sejam abundantes para vocês (1Pd 1,1-2).

É até cansativo ficar repetindo, mas, por detrás de um escrito bíblico, há toda uma comunidade e uma realidade concreta e, nesse caso, tem a ver com o sofrimento, perseguição, testemunho da fé, esperança, batismo e vida nova, comunidade, peregrinos e pátria definitiva, entre outros. Já vimos que tanto as Cartas de João, como a de Tiago, e ainda veremos que a de

Judas, possivelmente, e de acordo com estudiosos, não foram escritas por eles, e o mesmo se pode afirmar das duas cartas escritas por Pedro. Vimos que antigamente era costume, entre os autores, atribuírem seus escritos à autoria de alguém muito conhecido e que havia exercido um papel de destaque entre os leitores. Era um modo de homenagear e, ao mesmo tempo, fazer com que seus escritos tivessem autoridade e fossem divulgados. É o que chamamos de *pseudônimo*. "Esse nome complicado nada mais quer dizer que um autor 'toma emprestado' o nome de alguém respeitado para assinar seu texto. Hoje em dia, esse procedimento seria interpretado como plágio ou falsificação."[1] Mas, naquele tempo, conforme vimos, era comum e um modo de homenagear alguém importante.

A tradição da Igreja afirma que Pedro morreu martirizado em Roma na época do reinado de Nero, entre 64 e 67. Pelo vocabulário, estilo, citações tiradas da Bíblia grega e a realidade narrada, tudo indica que essa carta foi escrita por volta do ano 90 a 100. Portanto, não teria sido escrita pelo apóstolo Pedro, embora se diga, no final, que foi "por meio de Silvano, que eu considero irmão fiel, escrevi a vocês essas poucas palavras" (1Pd 5,12). Silvano ou Silas era companheiro de Paulo e foram eles que evangelizaram a Ásia Menor, e nada indica que Pedro foi a essa região. Possivelmente, essa carta foi escrita por alguém da comunidade de Roma, pois, na saudação final, é dito que: "A comunidade que vive em Babilônia, escolhida como vocês, manda saudações" (5,13). Só para esclarecer, era costume na época dar apelidos, "assim como

---

[1] NOGUEIRA, Paulo Augusto de Souza. *Como ler as cartas de Pedro*. 2. ed. São Paulo: Paulus, 2003, p. 17.

Babilônia, Roma era considerada a mãe de toda idolatria e opressão. [...] Chamar Roma de Babilônia era denunciar Roma pela opressão e anunciar o julgamento de Deus sobre a cidade".[2] E, no Apocalipse, capítulo 18, Roma também é chamada de Babilônia. "Mas, devido ao conhecimento profundo da situação das comunidades da Ásia Menor que transparece na carta, é possível que ela tenha sido escrita por um grupo de pessoas dessas mesmas comunidades, que estavam preocupadas com sua situação."[3] Como sabemos, essa carta fala muito em sofrimento e perseguições, o que leva alguns autores a situá-la na época do Imperador Domiciano (81-96). Mas há questionamentos de que essas perseguições pudessem ser de calúnias, mentiras, falsos testemunhos, maus-tratos por parte dos romanos, autoridades judaicas e membros da população da mesma região.

Por outro lado, atribuir essa carta como sendo de Pedro, apóstolo de Jesus Cristo, e direcionada aos que vivem dispersos como estrangeiros e, ao mesmo tempo, falando de sofrimento e tribulação, poderia ser um estímulo, uma motivação forte aos fiéis para superar o sofrimento e até o martírio, como Pedro suportou, sendo ele mesmo "estrangeiro" em Roma, fora de sua Pátria. Vamos nos referir ao autor de agora em diante, seja ele quem for, como sendo Pedro, embora já vimos que ele dificilmente foi o apóstolo de Jesus. Pedro exorta: "Amados, vocês são peregrinos e forasteiros. Por isso, recomendo que fiquem longe dos desejos baixos que provocam guerra contra vocês" (2,11) e

[2] NOGUEIRA, Paulo Augusto de Souza. *Como ler as cartas de Pedro.* 2. ed. São Paulo: Paulus, 2003, p. 15.

[3] CEBI. *Cartas pastorais e cartas gerais.* São Leopoldo/RS e São Paulo: CEBI e Paulus, 2001, p. 65.

pede para que eles se comportem bem "durante esse tempo em que se acham fora da pátria" (1,17).

Mas quem são esses peregrinos e forasteiros?

Peregrino vem do grego *paroikoi*, que significa alguém que não é cidadão, que tem residência alheia e que vive num lugar estranho. Resumindo: "estrangeiro residente". Desse modo, os peregrinos podiam morar, trabalhar, pagar impostos em um determinado local, nessa carta do Ponto, Galácia, Capadócia, Ásia e Bitínia. Todavia, não podiam tomar posse da terra nem contrair matrimônio com pessoas do lugar, não podiam receber heranças e tinham muitas outras limitações.

Forasteiro vem do grego *parepidemoi*, que significa alguém que é exilado, estranho. Para ficar bem claro no português, podemos pensar em uma pessoa que entra ilegalmente em um país, é chamada de clandestina e, por não ter direito algum, é indesejada, malvista, suspeita, sujeita a ficar presa e sofrer punições de acordo com as leis do país.

Além desses dois, o autor coloca ainda a questão dos escravos, mas não escravos comuns que o grego traduz por *douloi*, e sim escravos do lar, empregados domésticos, que vêm do grego *oiketai* (2,18).

Primeiro Pedro 2,13-25 tem ensinamentos que doem aos ouvidos se analisados com o modo de pensar de nosso tempo. Ele pede para os peregrinos, forasteiros e escravos para se submeterem às instituições humanas por causa do Senhor e até que "é louvável alguém suportar maus-tratos, sofrendo injustamente por amor de Deus" (2,19), e cita o exemplo de Jesus que sofreu por nós e suportou o sofrimento por amor e em vista de um bem maior (2,22-25). Tudo parece contraditório e alienante, mas não é assim. Para entender bem um texto, é necessário saber o contexto. Um texto lido literalmente e de modo fundamentalista pode provocar grandes estragos.

Há quem diga que, por volta do ano 90 a 100, um terço da população do Império Romano era escrava e estava sujeita a sofrer maus-tratos, torturas, prisões, mortes. Os escravos e as escravas eram "mercadorias", "coisas" e, se desobedecessem às autoridades, corriam risco de vida. Imagine você que, em plena ditadura militar no Brasil, quando alguém desobedecesse às ordens dos generais, poderia ser preso, exilado e morto, e isso de fato aconteceu. Quantos mortos! "A submissão era uma necessidade em vista da sobrevivência. Ir contra a ordem de seus donos colocaria em risco a própria vida e de toda a comunidade, portanto, submeter-se era uma forma de resistência."[4] Obedecer para viver. Além do mais, quem sabe, vivendo no amor, eles poderiam resistir e questionar os que viviam no ódio e no mal.

Um texto bíblico também esconde seus segredos e, nessa Primeira Carta de Pedro, ele não está se referindo aos peregrinos, aos forasteiros e aos escravos quanto a sua posição social, se é que pode referir-se a esses excluídos ou dar-lhes alguma posição social, ainda que seja a última da sociedade. Ele se refere a eles como: "Vocês foram escolhidos, de acordo com a presciência de Deus Pai..." (cf. 1,1-2).

> Vocês, porém, são raça eleita, sacerdócio régio, povo adquirido por Deus, para proclamar as obras maravilhosas daquele que chamou vocês das

[4] CENTRO BÍBLICO VERBO. *Reavivar a caminhada*. São Paulo: Paulus, 2002, p. 72.

> trevas para sua luz maravilhosa. Vocês que antes não eram povo, agora são povo de Deus (2,9-10).

> A referência a ser escolhido por Deus como estrangeiro para ser seu povo mostra que temos aqui uma relação com a releitura que os primeiros cristãos faziam da tradição do êxodo. Eles eram o novo povo de Deus tirado da escravidão do Egito e conduzido por Deus rumo à libertação.[5]

Aqui, temos a libertação, não por meio do ouro ou da prata, modo como alguns escravos compravam a "liberdade" e ficavam livres, mas a libertação verdadeira: "Vocês foram resgatados pelo precioso sangue de Cristo" (1,19).

Imagine só a contradição: como explicar ou entender que os excluídos, aqueles que eram desprezados e humilhados pela sociedade, na verdade, pela fé, eram livres e filhos amados de Deus? Como admitir que eles eram a raça eleita e povo de Deus? Imagine o que se passava na mente desse povo que, na comunidade cristã, eram indivíduos livres e irmãos, mas na sociedade tinham de ser peregrinos, forasteiros e escravos.

Também, nessa carta, temos todo um ensinamento batismal:

> Pela obediência à verdade vocês se purificaram, a fim de praticar um amor fraterno sem hipocrisia. Com ardor e de coração sincero amem-se uns aos outros, vocês nasceram de novo, não de uma semente mortal, mas imortal, por meio da palavra de Deus, que é viva e que permanece (1,22-23);

[5] NOGUEIRA, Paulo Augusto de Souza. *Como ler as cartas de Pedro*. 2. ed. São Paulo: Paulus, 2003, p. 25.

> Como crianças recém-nascidas... (2,2);
>
> Agora são povo de Deus... (2,10) etc.

Após essa introdução sobre a questão do sofrimento, vamos agora estudar três temas dessa Primeira Carta de Pedro:

1. Pedras vivas.
2. A solidariedade.
3. A missão dos presbíteros.

1. Pedras vivas

Vimos que cada carta possui uma característica própria e que algumas expressões bíblicas contidas nelas tornaram-se conhecidas ao longo do tempo pelo povo como específicas deste ou daquele apóstolo. Assim a expressão: "Deus é amor", sabemos que é de João (1Jo 4,8); do mesmo modo que dizer que "Jesus Cristo é o mesmo ontem, hoje e sempre" nos traz à mente Hebreus (13,8); "A fé sem obras é morta", lembra-nos Tiago (2,17); a expressão que "somos pedras vivas" é de Pedro (1Pd 2,5), e "para o Senhor, um dia é como mil anos e mil anos são como um dia" está na Segunda Carta de Pedro (3,8); mas, quando falamos em Judas, não nos vem nada à mente, pois quem tem pouco conhecimento bíblico nem sabe que há tal carta, a mais desconhecida de todo o Novo Testamento.

Pedro nos diz:

> Aproximem-se do Senhor, a pedra viva rejeitada pelos homens, mas escolhida e preciosa aos olhos de Deus. Do mesmo modo, vocês também,

> como pedras vivas, vão entrando na construção do templo espiritual, e formando um sacerdócio santo, destinado a oferecer sacrifícios espirituais que Deus aceita por meio de Jesus Cristo. De fato, nas Escrituras se lê: "Eis que ponho em Sião uma pedra angular, escolhida e preciosa. Quem nela acreditar não ficará confundido". Isto é: para vocês que acreditam, ela será um tesouro precioso; mas, para os que não acreditam, a pedra que os edificadores rejeitaram tornou-se a pedra angular, uma pedra de tropeço e uma rocha que faz cair. Eles tropeçam porque não acreditam na Palavra, pois foram para isso destinados.
>
> Vocês, porém, são raça eleita, sacerdócio régio, nação santa, povo adquirido por Deus, para proclamar as obras maravilhosas daquele que chamou vocês para sua luz maravilhosa. Vocês, que antes não eram povo, agora são povo de Deus; vocês que não tinham alcançado misericórdia, mas agora alcançaram misericórdia (2,4-10).

Deus escolhe os fracos para confundir os fortes. Os peregrinos, forasteiros e escravos cristãos são a raça eleita, sacerdócio régio, nação santa e povo de Deus. Como explicar isso? É uma inversão dos valores sociais. Os pobres fiéis a Deus são os senhores da história? Que linda lição temos aqui nesse texto, que apresenta Jesus como a pedra viva rejeitada pelos homens, mas que se tornou a pedra angular, escolhida e preciosa aos olhos de Deus. Como entender a *pedra angular?*

Saiba mais...

A pedra angular

A pedra, já a conhecemos bem, é um mineral da natureza das rochas, que é resistente, duro, e que utilizamos para vários fins, principalmente para se obter uma construção sólida.

Angular significa que tem ou forma ângulo, um ou mais.

E a expressão pedra angular é tão importante e significativa na Bíblia que até Jesus vai referir-se a ela quando está contando a parábola dos vinhateiros (Mt 21,33-46). Israel, sendo a vinha, não produziu frutos de amor, justiça, paz, e os agricultores dela ainda matam o "Filho" e os próprios chefes dos sacerdotes; e os anciãos do povo, ao ouvi-la, concluem que o dono da vinha a arrendará a outros agricultores que lhe darão frutos no tempo certo. Então, Jesus disse a eles:

> Vocês nunca leram na Escritura: "A pedra que os construtores deixaram de lado tornou-se a pedra angular; isso foi feito pelo Senhor, e é admirável a nossos olhos"? Por isso eu lhes afirmo: o Reino de Deus será tirado de vocês, e será entregue a uma nação que produzirá seus frutos (Mt 21,42-43).

Você já percebeu que essa parábola tem tudo a ver com o texto da Primeira Carta de Pedro que estamos analisando? Eles são pedras vivas, a raça escolhida, o povo de Deus, não só eles, mas todos os povos que produzem frutos de amor, justiça, partilha, paz.

Mas, ao se referir à pedra angular, Jesus cita o Salmo 117,22-23 (em algumas bíblias 118): "A pedra que os construtores rejeitaram tornou-se a pedra angular, isso vem do Senhor, e é maravilha a nossos olhos". Mas qual o significado de pedra angular?

Arquitetos ou mestre de obras avaliam a qualidade de cada pedra. Rejeitam uma que não lhes parece de boa qualidade, ou que está mal talhada ou não encaixa no lugar. Mais tarde, Deus revela o valor ímpar dessa pedra, que será usada como ângulo de união de duas paredes do edifício ou como arremate do templo.[6]

Numa série de advertências, o Profeta Isaías diz:

> Escutem a palavra do Senhor, homens arrogantes, governantes deste povo que está na cidade de Jerusalém. [...] Por isso, assim diz o Senhor: Eu vou assentar no monte Sião uma pedra, pedra escolhida, angular, preciosa e bem firmada; quem nela confiar, não será abalado (Is 28,14.16).

[6] BÍBLIA. Português. Bíblia do peregrino. Organização de Luís Alonso Schökel. São Paulo: Paulus, 2002, p. 1.365 (nota de rodapé).

A pedra angular é aquela que sustenta e, ao mesmo tempo, é a base para se manterem unidas duas paredes.

Essa pedra angular, em Isaías:

> é interpretada como o Messias, [...] a pedra rejeitada pelos construtores e que depois se transforma em pedra angular (Sl 117,22) constitui indubitavelmente uma metáfora que indica a libertação do salmista, e o próprio Jesus aplica essa passagem a si mesmo (Mt 21,42).[7]

Pedro, em um discurso no Livro dos Atos dos Apóstolos, cheio do Espírito Santo, diz aos chefes do povo e anciãos: "Jesus é a pedra que vocês, construtores, rejeitaram, e que se tornou a pedra angular. Não existe salvação em nenhum outro, pois debaixo do céu não existe outro nome dado aos homens, pelo qual possamos ser salvos" (At 4,11-12).

Essa pedra angular, que é Jesus, é rejeitada por aqueles que não acreditam e se torna uma pedra qualquer e desprezada. Todavia, para aqueles que acreditam "ela será um tesouro precioso" (2,7).

Feito todo esse estudo sobre a pedra angular, fica mais fácil saber o que significa ser "pedras vivas que vão entrando na construção do templo espiritual, e formando um sacerdócio santo"

[7] PEDRA ANGULAR. In: *DICIONÁRIO* Bíblico. Autoria de MACKENZIE, John L. Tradução de Álvaro Cunha et al. 4 ed. São Paulo: Paulus, 1984, p. 709.

(2,5). Logo no início, o texto de Pedro já diz: "Aproximem-se do Senhor, a pedra viva rejeitada pelos homens, mas escolhida e preciosa aos olhos de Deus" (2,4). Também eles, peregrinos, forasteiros e escravos e a comunidade cristã, de um modo geral, eram rejeitados pela sociedade e pelos poderosos do mundo. Todavia, eles, a exemplo de Jesus, deveriam ser pedras vivas na construção de um templo espiritual, ou seja, a comunidade cristã. De fato, isso fica bem claro quando Paulo diz:

> Vocês pertencem ao edifício que tem como alicerce os apóstolos e profetas; e o próprio Jesus Cristo é a pedra angular dessa construção. Em Cristo, toda construção se ergue, bem ajustada, para formar um templo santo no Senhor. Em Cristo, vocês também são integrados nessa construção, para se tornarem morada de Deus, por meio do Espírito (Ef 2,20-22).

A expressão "pedras vivas" para construir a comunidade cristã, e alguns dizem a Igreja, é muito sugestiva e mostra a responsabilidade de cada um e de cada uma de fazer sua parte para se ter uma comunidade viva, um templo espiritual, mas no sentido concreto do amor, da justiça, da partilha, da solidariedade e do Reino de Deus no meio de nós. É esse o templo espiritual e também "a casa de Deus" (4,17), onde os peregrinos, neste mundo, deveriam construir um lar para todos se sentirem em casa na comunidade, com abrigo, proteção, segurança, carinho, amor, partilha e bens essenciais para viverem bem, nada de alienante ou conformismo.

Será que estamos sendo "pedras vivas" na construção de uma comunidade melhor? "Sacerdócio santo, destinado a oferecer sacrifícios espirituais que Deus aceita por meio de Jesus Cristo" (2,5) é oferecer a própria vida, os dons que temos, nosso amor e nossa vida para construir um mundo melhor. Se você quiser saber mais sobre o sacerdócio, sumos sacerdotes, sacrifícios e ritos, leia a explicação na Carta aos Hebreus. O que o autor quer dizer é que a comunidade cristã é o sacerdócio santo, não precisa de intermediários ou de ritos exteriores nem de templos, pois os cristãos oferecem sacrifícios no sentido de viver bem a Palavra de Deus e isso é agradável ao Senhor.

2. A solidariedade

Mas, em se estabelecendo um gancho do que é esse templo espiritual e essa casa de Deus, Pedro vai dar dicas bem definidas da importância da solidariedade na comunidade cristã para que os peregrinos, forasteiros, escravos e outros seguidores de Jesus Cristo sintam-se verdadeiramente em casa. Antes de Jesus e também na época de Jesus e quando Pedro escreve a carta, entre os judeus (e também entre os cristãos), havia uma lei sagrada que se chamava hospitalidade, no sentido de receber bem os peregrinos, dando-lhes comida, cama e proteção. Daí por que Jesus envia seus discípulos em missão e pede a eles para não levarem nada e "quando vocês entrarem numa casa, fiquem aí até partirem" (Mc 6,10).

O texto é tão claro e simples que dispensa maiores comentários, a não ser sobre a parusia, que mostra que o fim de todas as coisas está próximo. Sobre isso, vamos comentar na Segunda Carta de Pedro.

> O fim de todas as coisas está próximo. Sejam, portanto, moderados e sóbrios, para se dedicarem à oração. Sobretudo, conservem entre vocês um grande amor, porque o amor cobre uma multidão de pecados. Pratiquem a hospitalidade uns com os outros, sem murmurar. Cada um viva de acordo com a graça recebida e coloquem-se a serviço dos outros, como bons administradores das muitas formas da graça que Deus concedeu a vocês. Quem fala, seja porta-voz de Deus; quem se dedica ao serviço, faça com as forças que Deus lhe dá, a fim de que em tudo Deus seja glorificado por meio de Jesus Cristo, ao qual pertencem a glória e o poder para sempre. Amém! (4,7-11).

Esse ensinamento de Pedro tem muito a nos dizer e às comunidades cristãs de hoje. O que você acha disso?

3. A missão dos presbíteros

Quando se fala em presbítero, vem-nos em mente o padre ou o sacerdote. Em sua origem, a palavra grega *presbyteros* significava "ancião", "uma pessoa velha", "alguém dotado de sabedoria da vida". Geralmente, algumas cidades ou comunidades possuíam um grupo de anciãos (At 11,30). Fica evidente que eles tinham um papel importante como autoridade na cidade ou comunidades:

> De Mileto, Paulo mandou emissários a Éfeso para chamar os anciãos dessa igreja. Quando os anciãos chegaram, Paulo lhes falou: [...] Cuidem

> de vocês mesmos e de todo o rebanho, pois o Espírito Santo os constituiu como guardiões, para apascentarem a Igreja de Deus, que ele adquiriu para si com o sangue de seu próprio Filho (At 20,17.28).

Mas é nos escritos bíblicos do final do século I e começo do século II que aparecem mais informações sobre quem são esses presbíteros, os epíscopos e os diáconos e diaconisas.[8] Veja só o que Paulo diz: "Recomendo a vocês nossa irmã Febe, diaconisa da igreja de Cencreia. Recebam-na no Senhor, como convém a cristãos. Deem a ela toda a ajuda que precisar, pois ela tem ajudado muita gente e a mim também" (Rm 16,1-2).

Voltando aos presbíteros, por meio de um texto atribuído a Paulo e dirigido a Tito, fica bem claro quem são e sua missão:

> Eu o deixei em Creta para que você cuidasse de organizar o que ainda restava para fazer, e para que nomeasse em cada cidade os presbíteros das igrejas, conforme as instruções que lhe deixei: o candidato deve ser irrepreensível, esposo de uma única mulher, e seus filhos devem ter fé e não ser acusados de maus costumes nem de desobediência. De fato, sendo administrador de Deus, o dirigente deve ser irrepreensível, não arrogante, nem beberrão ou violento, nem ávido de lucro desonesto. Pelo contrário, deve ser hospitaleiro, bondoso, ponderado, justo, pie-

[8] Se você desejar obter informações em detalhes de quem eram os epíscopos, presbíteros e diáconos (diaconisas), bem como eram vistos os ministérios no início da Igreja, leia meu livro: ALBERTIN, Francisco. *Explicando as cartas de São Paulo*. 7. ed. Aparecida: Santuário, 2010, p. 177-184.

> doso, disciplinado, e de tal modo fiel à fé verdadeira, conforme o ensinamento transmitido, que seja capaz de aconselhar segundo a sã doutrina e também de refutar quando a contradizem (Tt 1,5-9).

Nesse texto e também em 1Tm 3,1-13, fica evidente o processo de institucionalização que estava acontecendo na Igreja. Os apóstolos haviam já morrido e a primeira geração cristã que havia conhecido Jesus também. Precisavam agora de presbíteros nas igrejas, e que esse administrador de Deus e dirigente da comunidade, conforme vimos, tivesse várias virtudes e fosse irrepreensível. Talvez você até fique surpreso(a) ao saber que os primeiros presbíteros (padres e até epíscopos, bispos) eram casados. Sim, eles eram casados e a imposição do celibato na Igreja para Padres, Bispos e Diáconos veio bem depois. Aparece também a questão da imposição das mãos, no sentido de transmissão de poder e autoridade, de um grupo de presbíteros. Paulo, ou alguém que escreve em seu nome, diz a Timóteo: "Não descuide o dom da graça que há em você e que foi dado por meio da profecia, juntamente com a imposição das mãos do grupo de presbíteros" (1Tm 4,14). "Não tenha pressa de impor as mãos em alguém..." (1Tm 5,22). E, até hoje, em uma ordenação presbiteral ou de padre, bispo e diácono, temos o rito de impor as mãos por um bispo.

Depois dessa explicação sobre quem eram e a missão dos presbíteros, podemos ler o texto de Pedro e entender melhor sua mensagem:

> Faço uma admoestação aos presbíteros que estão entre vocês, eu que sou presbítero como eles, testemunha dos sofrimentos de Cristo e partici-

> pante da glória que vai ser revelada. Cuidem do rebanho de Deus que lhes foi confiado, não por imposição, mas de livre e espontânea vontade, como Deus o quer; não por causa de lucro sujo, mas com generosidade; não como donos daqueles que lhes foram confiados, mas como modelos para o rebanho. Desse modo, quando aparecer o supremo Pastor, vocês receberão a coroa de glória que não murcha (5,1-4).

Talvez você até questione: mas se o autor refere a si mesmo como sendo Pedro, ele não seria então o Papa? Nesse texto, ele se apresenta simplesmente como presbítero, testemunha dos sofrimentos de Cristo, e o texto fala de rebanho, que lembra pastor ou bispo, e aqui parece que tudo é igual... Sim, tudo é igual, pois, no início do cristianismo e na época em que foram escritas essas cartas de Pedro, Paulo e outras, os ministérios eram vistos como **serviço e não como poder**. E, para o serviço de amor e doação, não há hierarquia ou pessoa mais importante.

Ao longo da história da Igreja, foi-se definindo a missão do papa, bispos, padres, diáconos, religiosos e religiosas. Seja como for, o que tem de ficar bem claro é que todo e qualquer ministério deve ser um serviço, tanto naquele tempo como nos dias de hoje.

Esse texto de Pedro é muito utilizado na liturgia de ordenação sacerdotal ou de padre. Bom seria se ele realmente fosse colocado em prática. O rebanho é de Deus e nenhum padre, bispo, ou até mesmo o papa, é "dono" do rebanho, que é o povo que lhe foi confiado. É lamentável e triste ver que alguns poucos padres, alguns até mesmo recém-ordenados, sentem-se "donos" do povo e estão muito mais preocupados com o poder do que com o serviço. O alerta é para todos os que exercem um papel de coordenador(a) ou liderança em uma comunidade, sejam padres, bispos, fiéis, missionários ou quem for, todos devem cuidar do rebanho, que é de Deus, com amor, carinho, e não por dinheiro ou qualquer outro interesse pessoal. Pedro deixa claro que o supremo Pastor, que é Jesus Cristo, é o modelo a ser seguido.

Jesus disse:

> Eu sou o bom pastor: conheço minhas ovelhas, e elas me conhecem, assim como o Pai me conhece e eu conheço o Pai. Eu dou a vida pelas ovelhas. Tenho também outras ovelhas que não são desse curral. Também a elas eu devo conduzir; elas ouvirão minha voz, e haverá um só rebanho e um só pastor (Jo 10,14-16).

Para finalizar esse tema sobre os presbíteros, temos de ter em mente que autoridade é serviço, e quando João e Tiago pediram para sentar-se um à direita e outro à esquerda da glória de Jesus, os outros dez discípulos ficaram com raiva. Será que eles também queriam o poder? Jesus os repreende e diz que os governadores das nações querem o poder,

> mas, entre vocês não deverá ser assim: quem de vocês quiser ser grande, deve tornar-se o servidor de vocês, e quem de vocês quiser ser o primeiro, deverá tornar-se o servo de todos. Porque o Filho do Homem não veio para ser servido. Ele veio para servir e para dar sua vida como resgate em favor de muitos (Mc 10,43-45).

O que Jesus quis dizer ao afirmar que veio para servir e não para ser servido? Qual a lição que ele ensina a nós, padres, bispos, papa, fiéis leigos, que exercem papel de liderança em uma comunidade?

Hoje, geralmente, dizemos que tal presidente(a), governador(a), prefeito(a) vão tomar posse, e o mesmo dizemos que um padre vai tomar posse desta ou daquela paróquia, bem como o bispo vai tomar posse desta ou daquela diocese. Posse lembra muito o poder. Que tal se a própria Igreja mudasse um pouco seu vocabulário: ao invés de *tomar posse*, **colocar-se a serviço** desta ou daquela paróquia, desta ou daquela diocese? O que você acha disso?

Para finalizar: ministério na Igreja é ***serviço*** e não poder.

SEGUNDA CARTA DE PEDRO

O autor apresenta-se como

> "Simão Pedro, servo e apóstolo de Jesus Cristo, aos que receberam, pela justiça de nosso Deus e Salvador Jesus Cristo, uma fé preciosa como a nossa. Que haja abundância de graça e paz, mediante o conhecimento de Deus e de Jesus Cristo nosso Senhor" (1,1-2).

Na primeira carta, o autor apresenta-se como Pedro, e aqui Simão Pedro, e diz: "Amados, esta já é a segunda carta que lhes escrevo. Nas duas procurei despertar com alguns conselhos o pensamento sadio de vocês" (3,1).

E ainda:

> falamos porque fomos testemunhas oculares da majestade dele. Pois ele recebeu de Deus Pai a honra e a glória, quando uma voz vinda de sua Glória lhe disse: "Este é meu Filho amado: nele encontro meu agrado". Essa voz veio do céu, e nós próprios a ouvimos quando estávamos com ele no monte santo (1,16-18).

O autor realmente tenta convencer seus leitores que, de fato, é Simão Pedro, ou simplesmente Pedro, o apóstolo de Jesus Cristo, e que já é a segunda carta que ele escreve e cita a transfiguração de Jesus (Mt 17,1-9; Mc 9,1-10), e afirma ter visto e ouvido a voz de Deus. Parece que realmente ninguém iria duvidar da autoria de Pedro depois de sua apresentação e de tudo isso.

Mas não foi isso que aconteceu. Primeiro, se você ler a Primeira Carta de Pedro, bem como a Segunda, verá que são muito, mas muito diferentes. A primeira, diríamos, está muito preocupada com a vivência da comunidade que passa por sofrimentos por causa de Jesus Cristo e também perseguições por parte das pessoas do Império Romano, judeus e vizinhos. O autor quer mostrar o exemplo de Jesus Cristo, dar a eles uma esperança, uma casa, uma palavra de conforto mediante esse sofrimento e exorta a todos a viverem na solidariedade, que era uma questão de sobrevivência.

Na segunda carta, a preocupação é a doutrina, os falsos mestres que ensinam doutrinas pecaminosas e heresias perniciosas, além, é claro, de resolver um problema até então difícil, que era a questão da parusia, ou a segunda vinda de Cristo.

O autor também diz:

> Considero meu dever mantê-los despertos com minhas admoestações, enquanto estiver nesta tenda, pois sei que em breve devo despojar-me dela, conforme Jesus Cristo me revelou. Portanto, vou fazer de tudo para que vocês se lembrem sempre delas depois de minha partida (1,13-15).

Tem, portanto, um estilo diferente da primeira: parece dar a seus leitores as últimas recomendações antes de sua partida. Seria um ensinamento final, de grande valor, pois são as últimas palavras, conselhos e admoestações. Esse estilo literário pode ser chamado de Testamento.

Mas seja como for, os estudiosos consideram que o autor dessa carta não é o mesmo da primeira de Pedro, pois são muito diferentes. Todavia, o autor ou os autores possivelmente podem estar ligados a um grupo de seguidores de Pedro. "O autor tem uma forma muito própria de interpretar a história de Jesus, a memória de Pedro e seu mundo religioso."[1]

Lendo essa carta, principalmente no que se refere aos falsos mestres, podemos ver uma semelhança no que se refere à crítica, aos anticristos que aparecem na primeira carta de João. O autor ou os autores citam as cartas de Paulo e, possivelmente, o que lhe está em mente é a questão da parusia, que Paulo escreve na Primeira e Segunda Carta aos Tessalonicenses, bem como a questão da salvação e outros temas. Afirma(m) que "os ignorantes e vacilantes distorcem, como fazem com as demais Escrituras" e que, nas cartas paulinas, há pontos difíceis de entender (cf. 3,15-16). Também é visível a semelhança em alguns pontos com a Carta de Judas, e estudos dizem que foi a Segunda Carta de Pedro que serviu de Judas e que há muita semelhança entre 2Pd 2,1–3,3 e Judas 4-18 (versículos 4 ao 18, pois esta não tem capítulo). Vamos estudar a Carta de Judas na sequência.

Por tudo isso, é quase unânime entre muitos estudiosos que a Segunda Carta de Pedro foi o último escrito do Novo Testamento. Em relação à data, tudo indica que seja por volta

---

[1] NOGUEIRA, Paulo Augusto de Souza. *Como ler as cartas de Pedro*. 2. ed. São Paulo: Paulus, 2003, p. 65-66.

do começo do século II. Há dúvidas: por volta do ano 110? Ou outra data mais tardia?[2]

O autor diz: "façam esforço para colocar mais virtude na fé, mais conhecimento na virtude, mais perseverança no autodomínio, mais piedade na perseverança, mais fraternidade na piedade e mais amor na fraternidade" (1,5-7).

Vamos estudar dois temas: os falsos mestres e a questão da parusia.

1. Os falsos mestres

O autor, conforme vimos, está muito preocupado com a doutrina e os ensinamentos de Jesus Cristo, escritos pelos evangelistas e apóstolos, dentre eles Paulo. Ocorre que alguns falsos mestres estão infiltrando nas comunidades heresias perniciosas, negando verdades ensinadas por Jesus e isso é muito preocupante.

Por isso, o autor diz:

> Muitos seguirão suas doutrinas dissolutas e, por causa deles, o caminho da verdade cairá em descrédito. Levados pelo amor ao dinheiro, procurarão, com palavras enganosas, fazer de vocês objetos de negócios. Mas o julgamento contra

[2] No livro: CEBI. *Cartas pastorais e cartas gerais*. São Leopoldo/RS e São Paulo: CEBI e Paulus, 2001. p. 76, temos: "A situação que nela transparece é posterior ao fim do século I. A investigação bíblica científica é quase unânime em colocar sua composição entre os anos 125 e 150 d.C.". Alguns autores, no entanto, consideram que essa data é bem tardia para essa carta.

> eles há muito já começou, e sua destruição não vai tardar. [...] Atrevidos e autossuficientes, esses homens não hesitam em blasfemar contra os seres gloriosos; [...] Esses homens, porém, como animais irracionais destinados por natureza à prisão e à morte, insultam o que não conhecem e vão perecer com a mesma morte, recebendo a injustiça como salário de sua injustiça. Eles sentem prazer em fazer orgias em pleno dia. Que nojo e que vergonha quando banqueteiam com vocês, divertindo-se com seus prazeres! Não podem ver mulher sem desejá-la e não se cansam de pecar. Seduzem pessoas inseguras. Seu coração está treinado para a ambição. Eles são uns malditos! (2,2-3.10.12-14).

Você pode até achar que o autor foi duro com esses falsos mestres. Todavia, o que estava em jogo eram a fé cristã e a doutrina de Jesus que deveria ser preservada. Vivendo num mundo onde os pagãos eram maioria e onde havia vários cultos e vários deuses, permanecer unidos na fé era uma questão de sobrevivência. Havia também muitas imoralidades, o que leva o autor a denunciar tudo isso para que seus ouvintes permanecessem firmes na fé em Jesus Cristo.

2. A questão da parusia

A mentalidade da época de Paulo, de Pedro, das primeiras comunidades cristãs e até mesmo de outras posteriores, era que a vinda, ou melhor, a segunda vinda de Cristo estava próxima, e o fim de tudo, o fim do mundo, era uma questão de tempo e que os cristãos, que permanecessem firmes em Jesus, seriam salvos.

O termo parusia vem do grego *parousia* e significa "presença", "vinda". Mas o primeiro a escrever sobre esse tema foi Paulo, em sua Primeira Carta aos Tessalonicenses, por volta do ano 51. Tanto ele como os demais cristãos acreditavam que a segunda vinda de Jesus seria breve, e Paulo assim escreve:

> Eis o que declaramos a vocês, baseando-nos na palavra do Senhor: nós, que ainda estaremos vivos por ocasião da vinda do Senhor, [...] depois nós, os vivos, que estivemos ainda na terra, seremos arrebatados junto com eles para as nuvens, ao encontro do Senhor nos ares. E então estaremos para sempre com o Senhor. Consolem-se, pois, uns aos outros, com essas palavras (1Ts 4,15.17-18).

Ocorre que o tempo passou. Pedro, Paulo e os apóstolos morreram, e também a primeira geração cristã e até alguns da segunda geração, e nada da vinda de Jesus. Isso era decepcionante e muitos pensavam: sofrer para quê?, se Jesus não volta logo. Quando houve a destruição de Jerusalém e do Templo (por volta do ano 70) pelos romanos, muitos pensavam que Jesus viria em breve. Desde do ensinamento de Paulo até a época da Segunda Carta de Pedro, com certeza, mais de 50 anos se passaram, e onde está Jesus?

O autor da Segunda Carta de Pedro diz:

> Em primeiro lugar, vocês devem saber que nos últimos dias aparecerão pessoas que zombarão de tudo e se comportarão ao sabor de seus próprios

> desejos. E dirão: "Não deu em nada a promessa de sua Vinda? De fato, desde que os pais morreram, tudo continua como desde o princípio da criação!" (3,3-4).

Essa crítica e esse comentário maldoso mexiam sim com os cristãos que se sentiam enganados, e a promessa da vinda de Jesus não se realizava, o que provocava descrédito deles diante da sociedade. Até mesmo Paulo já havia dito, tempos depois, para que os cristãos não se deixassem perturbar se esse dia não chegasse logo, "mesmo que isso esteja sendo veiculado por alguma suposta inspiração, palavra ou carta atribuída a nós" (2Ts 2,2). Será que o autor da Segunda Carta de Pedro, ao se referir aos escritos paulinos, e que têm pontos difíceis, pensava na parusia e na salvação de um modo geral, embora ele defenda Paulo e deixe claro que são os ignorantes e vacilantes que distorcem o que ele escreveu, como fazem com as demais Escrituras (cf. 3,15-16)?

Mas, agora, os cristãos esperam uma resposta convincente em relação à parusia e vão ter:

> Há, porém, uma coisa que vocês, amados, não deveriam esquecer: para o Senhor, um dia é como mil anos e mil anos são como um dia. O Senhor não demora para cumprir o que prometeu, como alguns pensam, achando que há demora; é que Deus tem paciência com vocês, porque não quer que ninguém se perca, mas que todos cheguem a se converter. O Dia do Senhor chegará como um ladrão, [...] qual não deve ser a santidade de vida e piedade de vocês, enquanto esperam e apressam a vinda do Dia de Deus? (3,8-10.11-12).

Resolvido: para Deus não há o tempo tal qual conhecemos, pois um dia é como mil anos e mil anos são como um dia. A promessa da vinda de Jesus vai cumprir-se e a demora é para que todos se salvem e se convertam.

Finalizando essa Segunda Carta de Pedro, um versículo baseado em Isaías (65,17; 66,22), inspirou o povo antigo, a comunidade de Pedro e a todos nós, hoje: "O que nós esperamos, conforme a promessa dele, são novos céus e nova terra, onde habitará a justiça" (3,13).

CARTA DE JUDAS

Trata-se de uma pequena carta, de apenas 25 versículos, e é tida como o escrito mais desconhecido de todo o Novo Testamento. Poucas pessoas sabem sobre a existência dessa carta e menos ainda qual é sua mensagem. Vamos refletir sobre esse texto importante da Bíblia, senão não estaria na lista dos livros inspirados pela Igreja.

Quando se lê a Carta de Judas, alguns leitores ficam confusos com o linguajar duro, muitas citações do Antigo Testamento e referência aos livros apócrifos, o que levou alguns a duvidarem seriamente, no início, se esse escrito seria ou não canônico, e se essa carta realmente era "inspirada". De fato, essa só foi aceita como inspirada pela Igreja por volta do ano 180. Não há dúvidas de que o fato da Segunda Carta de Pedro citar muito Judas contribuiu para isso. Sobre os *livros apócrifos* e o *cânon*, vamos explicá-los melhor no *Saiba mais...*

E o autor apresenta-se como Judas. A pergunta é: qual Judas? Judas Iscariotes, o traidor, é totalmente descartado, uma vez que se suicidou (Mt 27,5), morrendo antes de Jesus.

Outro Judas que aparece é um que seria "irmão" de Jesus, de Tiago e outros (Mc 6,3; Mt 13,55). Antigamente, os parentes próximos eram chamados de irmãos,[1] no sentido de uma grande família, e não só irmãos de sangue, filhos do mesmo pai e mesma mãe. A tradição da Igreja afirma que Jesus não tinha outros irmãos de sangue e os nomes citados eram parentes próximos.

Mas se essa carta foi escrita por volta do ano 100, embora alguns a coloquem entre o ano 90, tudo indica que não foi escrita por Judas, o "irmão" de Tiago e de Jesus, muito embora também o autor se apresente assim: "servo de Jesus Cristo, irmão de Tiago" (1,1). Por que então não se apresentou como sendo "irmão de Jesus Cristo e de Tiago"? Se, de fato, fosse "irmão de Jesus Cristo", daria muito mais credibilidade a seus escritos se se apresentasse assim. Ele afirma ser "servo de Jesus Cristo". Servo é aquele que serve e se coloca a serviço de Jesus Cristo.

Resta agora analisar o terceiro e último Judas que aparece no Novo Testamento. Entre os doze discípulos de Jesus, aparece um "Judas, filho de Tiago" (Lc 6,16; At 1,13). Em João (14,22), aparece um Judas, não o Iscariotes, que pergunta: "Senhor, por que vais manifestar-te a nós e não ao mundo?". Ao referir-se aos doze, Marcos (3,18) e Mateus (10,3) falam de Tadeu como um dos discípulos. Temos aqui o famoso Judas Tadeu, a quem tantos devotos admiram e que é conhecido como o protetor da causa dos desesperados, de causas urgentes e até impossíveis. Seria esse Judas Tadeu, o autor dessa carta?

Mas o autor nos dá uma dica preciosa de quem é:

---

[1] Para mais detalhes desse tema de "irmãos", leia a explicação neste livro, na Carta de Tiago, p. 186-187.

> Vocês, porém, amados, lembrem-se das coisas que foram ditas anteriormente pelos apóstolos de nosso Senhor Jesus Cristo. Eles diziam a vocês: "No fim dos tempos aparecerão impostores que se comportarão conforme suas paixões" (17-18).

O que fica claro é que o autor não pertencia ao grupo dos apóstolos e, possivelmente, nem os conheceu pessoalmente, ou até mesmo tivesse conhecido um deles. Isso pode ficar ainda mais claro quando diz: "Amados, tendo um grande desejo de escrever-lhes a respeito de nossa salvação comum, fui obrigado a fazê-lo, a fim de encorajá-los a lutar pela fé que foi transmitida aos fiéis de uma vez por todas" (3), e já no versículo 4, entra na questão dos falsos mestres e indivíduos que são ímpios, o que revela uma realidade por volta do ano 100, pouco antes ou pouco depois.

Judas é um nome muito comum entre os judeus. Nesse caso, o autor seria judeu-cristão e, a exemplo das outras cartas que estudamos até agora, teria atribuído seus escritos para homenagear alguém importante. Em meu entender, um dos discípulos de Jesus, que a Igreja diz ser Judas Tadeu. Conforme vimos, os dois Judas anteriores, ao que tudo indica, não foram os autores. De agora em diante, vamos nos referir ao autor, seja ele quem for, como sendo Judas.

O autor revela uma grande preocupação com a verdadeira fé em Jesus Cristo, em oposição às falsas doutrinas e falsos mestres e indivíduos que são ímpios "e negam Jesus Cristo, nosso único soberano e Senhor" (4). O soberano e Senhor é Jesus Cristo e não o Imperador Romano, que se julgava "senhor" do mundo. Utiliza-se o conhecimento popular ou religiosidade popular de sua época e tem todo um jeito especial de exortar os fiéis a lutar com fé contra as falsas doutrinas e, para isso, Judas dá algumas dicas de quem são: "Eles são uns ímpios, que convertem a graça de Deus em pretexto para a libertinagem e negam Jesus Cristo" (4).

1. Quem são os ímpios libertinos?

Essa parece ser uma das grandes preocupações do autor "aos eleitos que são amados por Deus Pai e guardados por Jesus Cristo" (1). Ele diz claramente que "alguns indivíduos infiltraram-se no meio de vocês" (4) e também "participam descaradamente das refeições fraternas de vocês" (12). Eles estão no meio da comunidade, e refeições fraternas – que também eram chamadas de *ágape*, palavra grega que significa amor – seriam uma espécie de missa ou eucaristia de hoje, com as devidas diferenças ocorridas ao longo dos tempos, a que Paulo chamava de Ceia do Senhor (1Cor 11,17-34) e Atos dos Apóstolos chamava de fração do pão ou o partir do pão (At 2,42-47).

Isso é um perigo, pois esses ímpios, a exemplo da comunidade joanina, muitas vezes não eram os que vinham de fora, e sim alguns que estavam dentro da própria comunidade. Judas se sente na obrigação de esclarecer ainda mais quem são eles:

> De igual modo, Sodoma e Gomorra e as cidades vizinhas, que igualmente se entregaram à libertinagem e correram atrás de vícios contra a natureza; elas

> servem de exemplo, sofrendo as penas de um fogo eterno. O mesmo acontece com esses indivíduos: levados por seus devaneios, contaminaram o próprio corpo, desprezando o senhorio de Cristo. [...] Ai deles, porque enveredaram pela estrada de Caim; por causa do lucro se entregaram às aberrações de Balaão e foram destruídos no rebelião de Coré. [...] São uns murmuradores que renegam a própria sorte e agem de acordo com suas próprias paixões; sua boca profere palavras orgulhosas e bajulam as pessoas por motivos interesseiros (7-8.11.16).

É uma maneira muito dura de criticar, e o autor cita histórias bíblicas do Antigo Testamento que, possivelmente, os leitores conheciam sem entrar em detalhes desta ou daquela história; ele as compara em relação aos ímpios de seu tempo.[2] Aqui, também temos de levar em conta que, na cultura grega, toda e qualquer forma de sexualidade, seja ela qual for e da maneira que for, não era considerada pecado. Havia até um ditado popular que Paulo coloca e corrige: "'Posso fazer tudo o que quero'. Sim, mas nem tudo me convém. 'Posso fazer tudo o que quero', mas não deixarei que nada me escravize. [...] Ora, o corpo não é para a imoralidade e sim para o Senhor" (1Cor 6,12-13).

Da mesma forma, esses indivíduos, que são os ímpios, contaminam seus corpos (8) e agem de acordo com suas próprias

[2] Se você quiser ler e saber mais sobre algumas histórias aqui colocadas, vamos dar a citação bíblica e onde elas se encontram: quando fala da destruição de Sodoma e Gomorra, leia Gênesis 18,16–19,29; Caim que mata seu irmão Abel e derrama sangue inocente, destrói a união, a fraternidade e a vida, leia Gênesis 4,1-16; as aberrações de Balaão, leia Números 22,5–24,25. Veja um resumo de seus pecados em Números 31,16, e em 31,8 é narrada a morte de Balaão; em relação à rebelião de Core, leia Números 16,1-35.

paixões (16) e procuram lucros desonestos (16). Vivem na libertinagem e negam Jesus Cristo (4).

Judas então diz:

> Vocês, porém, amados, construam sobre o alicerce da santíssima fé que vocês têm; rezem movidos pelo Espírito Santo; mantenham-se no amor de Deus, esperando que a misericórdia de nosso Senhor Jesus Cristo lhes dê a vida eterna. Procurem convencer os vacilantes: salvem a uns, arrancando-os do fogo; tenham compaixão de outros, mas com temor. Detestem até a roupa contaminada pelos instintos egoístas dos ímpios (20-23).

Como estamos escrevendo uma explicação sobre a Bíblia de um modo geral, não poderíamos deixar de explicar um pouco o que são os livros apócrifos e também a questão do Cânon dos livros inspirados.

Saiba mais...

Livros apócrifos e cânon

Quando você lê a Bíblia, encontram-se lá 73 livros, sendo 46 do Antigo Testamento e 27 do Novo Testamento. Mas quem não está por dentro do mundo bíblico não imagina que temos muitos outros escritos e uma imensa literatura que narram acontecimentos, histórias e informações importantes sobre o mundo judeu e também sobre a fé em Jesus Cristo. Tudo indica que essa vasta literatura tenha surgido por volta do ano 175 a.C., em que predomina muito o estilo apocalíptico, como é o caso do Livro de Daniel e também o Apocalipse. Esses dois, como é de nosso conhecimento, estão na Bíblia, entre os livros inspirados, no cânon, mas muitos outros foram considerados apócrifos, mesmo os textos que alguns cristãos escreveram depois de Jesus Cristo, contendo informações importantes que às vezes não encontramos nos escritos inspirados. Mas o que são livros apócrifos?

Vamos começar pela definição da palavra grega *apókrifos*, que o dicionário grego traduz por "secreto", "oculto". Os livros apócrifos foram considerados não inspirados e não entraram na lista oficial reconhecida pela Igreja. Por isso, apócrifo também significa "estar ao lado". Muitos cristãos liam esses livros e a prova disso é que leitores da Carta de Judas os conheciam. Mas o acesso e a leitura deles não eram abertos e sim reservados. Ainda hoje, estão sendo despertados interesses pelas pessoas para essa literatura, e temos livros apócrifos à venda nas livrarias, mas poucos o conhecem. Só para citar alguns, pois são muitos, no que se refere ao Novo Testamento, temos: O proto-evangelho de Tiago, Evangelho de Pedro, Evangelho de Tomé, Trânsito de Maria, História de José – o carpinteiro, Atos de Paulo e Pedro, Drama de Pilatos, a História do Nascimento de Maria. No entanto, não tenho certeza do título em português, mas existe um evangelho escrito por Maria Madalena, muito interessante e bonito, que revela o lado feminino e como essa discípula por excelência – sendo a primeira testemunha da ressurreição de Jesus – narra, em seu evangelho, os ensinamentos do mestre e amigo Jesus.

Judas viveu em um tempo em que não havia ainda a questão de livros inspirados e livros apócrifos e nem um cânon definido. Ele faz citação de alguns livros apócrifos: o Livro de Henoc (6,13 e 16) e o Testamento dos doze patriarcas (6-7) e, no versículo 9, sobre a Assunção de Moisés.

Mas não tem como falar de livros apócrifos sem explicar o que é o cânon dos livros inspirados. O que significa a palavra cânon?

"A palavra 'Cânon' vem do grego *Kanon*, que significa medida, lista, norma. Daí surgiu o termo 'canônico', isto é, lista ou elenco oficial, medida legal que deve ser reconhecida por todos como válida e segura."[3] Mas isso gerou toda uma discussão e foram quase 400 anos para se chegar a "certo consenso" e "o critério básico para que um escrito fosse considerado revelação de Deus é que as comunidades identificassem nele uma autêntica experiência de fé e de Deus".[4] Não precisa ir longe para descobrir que havia controvérsias e que nem tudo foi calmo e sereno.

---

[3] CEBI. *Cartas pastorais e cartas gerais.* São Leopoldo/RS e São Paulo: CEBI e Paulus, 2001. p. 81.

[4] Ibidem, p. 82.

Comentamos que a Carta de Judas só foi aceita como inspirada por volta do ano 180, mas há outros escritos que estão hoje no Novo Testamento que geraram discussão e demoraram para serem aceitos na lista oficial ou no cânon. São eles: o Apocalipse, a Segunda Carta de Pedro e a Carta de Tiago.

Para falar um pouco da história da Bíblia:

> para as igrejas do Ocidente, o primeiro elenco oficial dos livros sagrados para uso dos cristãos foi promulgado num sínodo em Cartago, por volta do ano de 393. Nessa lista aparecem todos os livros que estão hoje nas Bíblias Católicas, tanto os do Antigo Testamento como os do Novo Testamento. Essa lista foi confirmada por um concílio em Florença (1441) e reafirmada pelo decreto do Concílio de Trento (1546).[5]

Mas algumas informações importantes, que não encontramos nos evangelhos e escritos do Novo Testamento, podem estar nos livros apócrifos. Só para citar alguns exemplos: se você ler Mt 14,1-12 e Mc 6,17-29, observará que, por ocasião da festa de aniversário do Rei Herodes, em um banquete, a filha de Herodíades dançou e agradou a todos, e Herodes promete dar-lhe qualquer coisa que pedisse, sua mãe a obriga pedir a cabeça de João Batista em um prato. Nesses textos, não aparece o nome da moça, mas nos apócrifos, ela aparece como Salomé.

[5] Ibidem, p. 83.

Outro exemplo refere-se ao dia dos avós, comemorado em 26 de julho, escolhido por ser o dia dos pais de Nossa Senhora, chamados Joaquim e Ana. Essa informação só encontramos nos apócrifos.

Quando Jesus estava pregado em uma cruz, ao lado dos dois ladrões, um o insultava e o outro, que o repreendia, dizendo para temer a Deus e que Jesus não tinha feito nada de mal, pede: "Jesus, lembra-te de mim, quando vieres com teu reino" (Lc 23,39-42). Dizem que esse ladrão era tão bom que conseguiu até "roubar", de última hora, a salvação de Jesus. E Jesus diz: "Em verdade, eu te digo, hoje estarás comigo no Paraíso" (Lc 23,43). Na Bíblia, não encontramos o nome deles, mas nos apócrifos, o ladrão que insulta é citado como Gestas e o "bom ladrão" como Dimas.

Mateus narra a visita dos Reis Magos a Jesus e não diz seus nomes, mas sabemos, pelos apócrifos, que são Gaspar, Belchior e Baltazar. O mesmo podemos dizer de Verônica que, no caminho do calvário, enxuga o rosto de Jesus, ficando esse nítido em um pano. Esse fato não aparece na Bíblia mas sim nos apócrifos, nos quais temos muitos outros fatos e acontecimentos.

Para finalizar este livro que Deus, em sua infinita misericórdia, concede-nos a graça de ser servo, nada melhor do que o hino de louvor ou doxologia do servo Judas:

> Para aquele que pode preservar vocês de qualquer falta e pode fazer que vocês compareçam

sem defeitos e na alegria diante da glória dele, ao Deus único, nosso Salvador, por meio de nosso Senhor Jesus Cristo, seja dada a glória e a majestade, a força e o poder, antes de todos os tempos, agora e para sempre. Amém! (24-25).

REFERÊNCIAS BIBLIOGRÁFICAS

ALBERTIN, Francisco. *Explicando as Cartas de São Paulo*. 7. ed. Aparecida: Santuário, 2010.

______. *Explicando o Antigo Testamento*. 10. ed. Aparecida: Santuário, 2011.

______. *Explicando o Novo Testamento*. Os Evangelhos de Marcos, Mateus, Lucas e os Atos dos Apóstolos. 6. ed. Aparecida: Santuário, 2011.

BÍBLIA. Português. Bíblia do peregrino. SCHÖKEL, Luís Alonso (org.). São Paulo: Paulus, 2002.

BÍBLIA. Português. Bíblia Sagrada. Tradução ecumênica (TEB). São Paulo: Loyola, 1994.

BORTOLINI, José. *Como ler o Evangelho de João*. São Paulo: Paulus, 1994.

______; BAZAGLIA, Paulo. *Como ler as cartas de João*. São Paulo: Paulus, 2001.

BROWN, Raymond E. *A comunidade do discípulo amado*. Tradução de Euclides Carneiro da Silva. São Paulo: Paulus, 1999.

CATECISMO DA IGREJA CATÓLICA. São Paulo: Loyola, 1993.

CEBI. *Cartas pastorais e cartas gerais*. São Leopoldo/RS e São Paulo: CEBI e Paulus, 2001.

CENTRO BÍBLICO VERBO. *Reavivar a caminhada*. São Paulo: Paulus, 2002.

CONFERÊNCIA NACIONAL DOS BISPOS DO BRASIL. Uma Igreja que acredita, acolhe e envia. Projeto nacional de evangelização. *Queremos ver Jesus caminho, verdade e vida*. São Paulo: Paulus e Paulinas, 2007.

MICHAELIS DICIONÁRIO *escolar de língua portuguesa.* São Paulo: Melhoramentos, 2002.

GINGRICH, F. Wilbur; DANKER, Frederick W. *Léxico do N.T. grego/português.* Tradução de Júlio P. T. Zabatiero. 3. ed. São Paulo: Vida Nova, 1991.

HARRIS, R. Laird; ARCHER, Gleason L. Júnior; WALTKE, Bruce K. *Dicionário Internacional de Teologia do Antigo Testamento.* Tradução de Márcio Loureiro Redondo; Luiz A. T. Sayão; Carlos Osvaldo C. Pinto. São Paulo: Vida Nova, 1998.

JOÃO PAULO II. A missão da família cristã no mundo de hoje. *Exortação apostólica Familiaris Consortio.* 10. ed. São Paulo: Paulinas, 1981.

KONINGS, Johan. *Evangelho segundo João: amor e fidelidade.* São Paulo: Loyola, 2005.

MACKENZIE, John L. *Dicionário bíblico.* Tradução de Álvaro Cunha et al. 4 ed. São Paulo: Paulus, 1984.

MATEOS, Juan; BARRETO Juan. *Vocabulário teológico do Evangelho de São João.* Tradução de Alberto Costa. 2. ed. São Paulo: Paulus, 2005.

______. O *Evangelho de São João. Grande comentário bíblico.* Tradução de Alberto Costa. 2 ed. São Paulo: Paulus, 1999.

MATEOS, Juan; CAMACHO, Fernando. *Evangelho, figuras & símbolos.* São Paulo: Paulinas, 1992.

NESTLE-ALAND. *Novum Testamentum Graece.* 27. ed. Deutsche Bibelgesellschaft, 1991.

NOGUEIRA, Paulo Augusto de Souza. *Como ler as Cartas de Pedro.* 2. ed. São Paulo: Paulus, 2003.

PAPA FRANCISCO. A alegria do amor. In: *Exortação apostólica "Amoris Laetitia".* 1. ed. São Paulo: Edições Loyola.

STORNIOLO, Ivo. *Como ler a Carta de Tiago.* São Paulo: Paulus, 1996.

STRABELI, Frei Mauro. *Bíblia: perguntas que o povo faz.* 6. ed. São Paulo: Paulinas, 1990.

VASCONCELLOS, Pedro Lima. *Como ler a carta aos hebreus.* 2. ed. São Paulo: Paulus, 2008.

ÍNDICE TEMÁTICO

"Saiba mais..."

ÍNDICE

A marca FSC® é a garantia de que a madeira utilizada na fabricação do papel deste livro provém de florestas que foram gerenciadas de maneira ambientalmente correta, socialmente justa e economicamente viável.

Este livro foi composto com as famílias tipográficas Times e Times New Roman
e impresso em papel Offset 70g/m² pela **Gráfica Santuário.**